日台万華鏡

―台湾と日本のあいだで考えた―

栖来ひかり

書肆侃侃房

はじめに

どうしてわたしは台湾について考えるのか

栖来ひかり

日本という名前は日のもと、つまり日出づる處《ところ》という意味を持つといわれる。これは、聖徳太子が隋の皇帝・煬帝に宛てた記述のなかにあり、「日出處天子致書日沒處天子無恙云云」と書かれていたと『隋書』に記録されている。

ここで「日出」「日没」がどのような意味をもつかには様々な議論があるが、着目したいのは日いづる處＝太陽の昇る方角という箇所だ。東から太陽が昇るのは、それを見ている人が西側にいるからで、太陽の昇る場所に居る人は自分の場所から太陽が昇るのを確認できない。つまり日本という名前そのものが、日本の西側にある他者の視点を持って初めて成立する。このことは、日本は生まれたときから紛れもなくアジアの輪の一部であり、東アジアの隣人たちは日本が日本たり得るための鏡であると教えてくれる。

近年のDNA研究の発達とともに日本人のルーツ解析が進んでいるが、いま主流となっている「南島にルーツをもつ〝縄文人〟と大陸にルーツをもつ〝弥生人〟の混血が日本民族の起源である」という最初の仮説が、台湾と深い関わりを持っていることは余り知られていない。

金関丈夫《かなせきたけお》（1897─1983）は戦前に台北帝国大学医学部の教授を務めた医学者・人類学者で、台湾原住民族をはじめ南島に暮らす人々の骨格について深い知識を備えていた。それが後に、山口県の土井ヶ浜遺跡において大量の弥生人と縄文人の骨とが一緒に見つかった際に、弥生人が大陸系統の別ルーツを持つ人種であることを発見し、それまで主流であった縄文弥生進化説（縄文人が弥生人へと進化して現在の日本人となった）を覆した。台湾を通して〝日本人とはなにか〟の一端が示された例である。

日本の現代社会が抱えている問題も、台湾に照らせばより明瞭になることは多い。例えばジェンダー問題がある。女性の働き方から始まり大相撲の女人禁制、男性受験者一律加点など表面化した問題は多岐にわたるが、その多くが女性はこうあるべきといった固定観念にもとづき、日本国民を統合する装置として明治維新以降に生まれた「日本古来の伝統」という意味づけに支えられていることが、ジェンダー研究者から指摘されている。一方の台湾は、日本の統治下で近代を通過しながらも、現代では女性の社会進出や性の在り方においてより豊かな多様性を獲得している。

これからの日本が、人口の減少や超高齢化、国際社会の複雑化に対応していくためには、こうあるべきという固定観念を取り外していくことなしに問題解決にあたるのは難しいだろう。固定観念から逃れること、それは自分のなかにある様々なレベルの他者の視点に、ピントを自在にずらせる能力を備えることにあると思う。

「わたし〝栖来ひかり〟はひとりの日本人であり、その前にひとりの女性であり、その前にひとりの東アジア人であり、その前にひとりの人間である」

ラジオのチューナーを調節するかのごとく、瞬時に思考をそれぞれのチャンネルに合わせれば、多様な音楽や物語が聞こえてくる。それら一つ一つに耳を傾けることで、国家への帰属意識から生まれる素朴な愛情が暴力的な権力へと姿を変えることに抗い、慰安婦問題をはじめ膠着化した国際問題について新たな思考を巡らせることができるのではないか。

嬰児が周囲との関わりの間でみずからと他者との境界を明確にしていくのと同じく国家もまた、「他」との関わりのなかで国の輪郭を形づくる。最も近しく歴史的な複雑性と豊かさを備えた台湾という隣人を、様々な角度や複眼性をもって見つめていくことが、「わたし」の陰影を照らし出し、進むべき未来へとみちびいてくれるだろう。

■本書の表記について

・日本時代

日本では一般的に「日本統治時代」と表記されるが、台湾では「日據時代」「日治時代」などの呼称があり、日本の統治に対して否定・肯定といった印象が付きまとう。そこで近年では、肯定でも否定でもなく当時を経験した当事者たちが呼んだ「日本時代《リップン・シータイ》」をニュートラルな呼称として使用する例が広まりつつある。しかし、日本において日本語の文章や会話で「日本時代」と使う場合、そこには日本が「統治」側であり台湾が「非統治」側という意識が抜け落ちるという指摘は、個人的にもよく理解できるものだ。しかしながら、台湾に住んでいるものとして、また日本と台湾のあいだに立ちながらより考えを深めていきたいという希望を込め、本書では敢えて「日本時代」を用いる。

・台湾華語

日本では一般的に華語（北京官話）を指して「中国語」という言葉が用いられてきたが、台湾で公用語として使用されている華語は台湾の歴史や使用背景に影響を受け、独自の文法や語彙を持つため本書では「台湾華語」と表記する。

・原住民／原住民族（イェンズーミン）

過去に外来政権によって台湾の先住民は「蕃人」「番人」「高砂族」「山地人」などと呼称され差別を受けて来た。1990年代に起こった先住民の権利運動「臺灣原住民族正名運動」において、「台湾原住民族」は当事者が勝ち取った正式名称として台湾の憲法にも記載されている。そのため本書では先住民の表記に原住民／原住民族（イェンズーミン）を用いる。

ただ、日本語においては「先住民」が土地の先住者を表す正式な言葉であること、日本では一般的に「原住民」という言葉に差別的なニュアンスを感じる人がいること、台湾の先住民のみを「原住民」と呼ぶことで他の地域の先住民とのつながりや連続性が失われてしまうなどの指摘が日本の台湾研究者より挙げられている。その指摘の重要性は重々に理解しながらも、台湾の先住民の人々のこれまでの努力や来し方について、日本でも関心の高まりや理解が進んでほしいという願いから、そして何より当事者の自決を尊重したいと考え、本書では先住民の表記に原住民／原住民族（イェンズーミン）を用いる。

・ホーロー人／ホーロー

台湾では公用語である台湾華語のほか、中国福建（ホーロー）地方の言葉にルーツをもつ言葉の使用者が多く、台湾においては「台語（たいぎー／タイユィ）」、日本においては一般的に「台湾語」と表記されてきた。近年は台湾アイデンティティーの深まりによって「台湾語」の使用が見直される一方で、多様なバックグラウンドを持つ族群の暮らす台湾において、「台湾語」だけが台湾を主体的に考えるための言葉なのかという論争もある。また福建地方を表す「閩南」という漢字や「福佬」というホーローへの当て字は差別的であるという指摘もある。そこで本書では、福建地方にルーツを持つ族群を「台湾ホーロー人」、言語を「台湾ホーロー語」と表記する。

・「外省人」「本省人」という表記について

これまで台湾の族群を表す言葉のなかで、第二次世界大戦以前より台湾に住んでいる台湾人を「本省人」、戦後に国民党政府と共に中国より移民してきた人々を「外省人」という呼び名が便宜的に使用されてきた。しかし近年はこの名称が台湾の分裂を深める／差別的な響きを含むという理由や、中華民国の中にある「台湾省」という概念から派生した言葉として、台湾では公的に使用することが避けられる。これに準じて、本書でもこうした族群を表す場合にどうしても必要な場合のみ「」付にするなど最低限の使用にとどめている。

社会

ジェンダー

日台文化比較

歴史交錯

映画・アート・本

社会

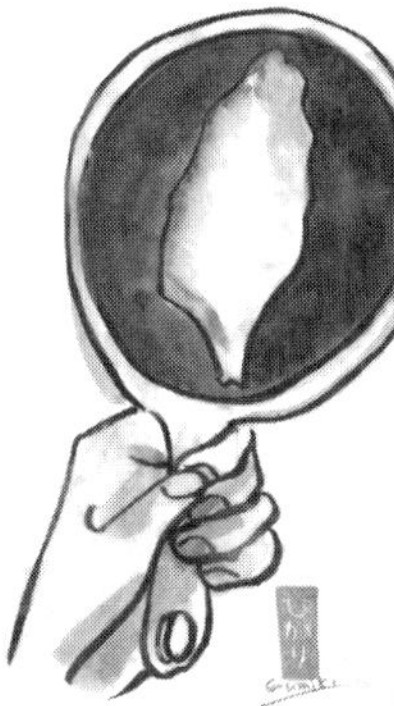

1

「ＢＲＵＴＵＳ」台湾特集の表紙に台湾人が不満を感じた理由

２０１７年７月15日に発売された「ＢＲＵＴＵＳ（ブルータス）」（マガジンハウス）台湾特集号の表紙が台湾のネット界で炎上と言っていいほどの話題になった。この騒動の前提には、「ＢＲＵＴＵＳ」が台湾において流行や文化に敏感な層から格別な支持を受けていたことがある。台湾のオシャレな書店やカフェ、クリエイターの手元に必ずと言っていいほど置いてあるこの雑誌は、若い世代の台湾カルチャー、つまり日本やアメリカ、ヨーロッパの文化を吸収しながら「台湾文化とは何か」を考え、かつ牽引してきた世代にとってなくてはならない雑誌で、だからこそこれだけ注目が集まったと言えそうだ。

「街の表情」を巡り賛否両論

表紙は台南の有名な美食街である国華街《グオホアジエ》の路上写真。これまでの日本の雑誌の台湾特集では、小籠包などの食べ物や街の雑踏のなかの人物があくまで主役だった。しかし、今回のブルータスの表紙の主人公は街の表情そのものである。そして論争の発端は、「路上に停められた大量のスクーターのせいで歩行者は車道を歩かざるを得ない現状が表紙になり、自分たちの『民度』の低さを見せつけられたようで恥ずかしい」というネット上の意見だった。

「いろんな条例が整っている台北では、こんなひどい街並みは見られない」

「わざわざ『地方』を取り上げ、顔にしなくても良いではないか」

「同誌のロンドンやニューヨーク特集では『タワー』を顔にしたのに、どうして台湾は『101』じゃないのか」

「台湾＝洗練されていない、というのは一種の差別じゃないか」

こうした否定的な意見に対し、

「そもそもわたしたちが育ってきたこの環境に、何ら恥ずべきことはない」

「台湾の愛すべきところを理解してくれている」

「101タワーが台湾文化の何を象徴しているというのか」

といった肯定的な意見も飛び交った。台湾では地方の人が台北を皮肉って「天龍国」(アニメ『ONE PIECE』からできた言葉)と呼ぶほど地方格差が大きい。こうした「首都台北VS地方」の対立軸が論争をさらに激しいものにした。

日本人が台湾に感じるのは懐古趣味か

話は「BRUTUS」から離れる。かつての台湾をよく知る日本人から「昔の台湾はもっとめちゃくちゃでパワーがあって面白かった」とか「今の台湾はきれいになって面白くない」と聞くたびに、なんだか心がザラザラしてくる。日常生活を快適、健康、便利に暮らしたいのは人の常だ。その未発達なところを面白いと思うのは個人の勝手だが、実際に不便と思いながら暮らしている人に変わらないでと要求するのは理不尽に思える。同様に、「昭和っぽい」「懐かしい」「癒やされる」という台湾への感想についても、言われた側は「いや、別にそうありたいわけじゃないし」と受け止めるかもしれない。実際に台湾でも、長年の日本の雑誌における台湾の扱いかたをポストコロニアリズムやオリエンタリズムの延長、もしくはその変形として捉える研究者もいる。もちろん台湾人の誰もがそんな風に問題視しているわけではない。しかし、そもそも日本は台湾を植民地にしていた宗主国であり、じつはとてもデリケートな事柄であるのは確かだ。

ここで数年前より台湾で流行り始めた「台湾でもっとも美しい風景は人である」という言葉と、その批判にあたる「台湾でもっとも美しい風景は人だが、同時にもっとも醜い風景も人である」という議論に注目したい。

次々と外来者に統治されてきた歴史をもつ台湾の人々にとって、「台湾とはなにか？　台湾人とは？　台湾文化とは？」という問題意識は常にある。そうして本当に台湾が誇れるものを常に考え、嘆き、葛藤している。例えばフェイスブック上で台湾の友人たちは日々いかに自分たちの環境や文化を向上させるかを大真面目に議論し、拡散に励んでいる。多くの台湾人が日本への旅行を楽しむが、同時に日本の文化や利便性に触れては、「どうして台湾はこういうふうにできないのか」と劣等感を感じているのを耳にする。その度に、台湾人の「日本が好き」という感情は本当に複雑だと思う。日本人の無邪気な「台湾って親日だよね」「懐かしい」「癒やされる」という感じ方は、実は台湾の人々の心の微妙な部分を刺激するということを一般の旅行者ならともかく、少なくとも日本のメディアは認識した方がいいだろう。

議論を重ねて前に進もうとする台湾

この論争のきっかけは「ＢＲＵＴＵＳ」の表紙から始まったのは確かだが、「ＢＲＵＴＵＳ」が特に問題だったというより、潜在的にあった議論の種が大きく育ってしまったとわたしは考えている。しかし議論はないよりあった方がいいに決まっているし、建設的な方向に進んだ。それこそが「台湾の最も美しい風景」なんだと思う。少なくともいつも議論を重ねる生真面目な台湾の友人たちの姿は、努力しても変わりそうにない現状にともすれば投げやりになりがちな日本人の目にはまぶしく映る。炎上直後から「自分の好きな台湾風景を表紙にしよう！」というコンセプトで、「ＢＲＵＴＵＳ」の表紙を自作できる〝ＢＰＵＴＵＳ（ブプータス）〟というアプリが台湾のＳＮＳで瞬時に広まり、何千何万人のオリジナルな雑誌の表紙が次々とアップされたのもユニークな流れだった。彼らのスピード感のあるユーモアと前向きさにはいつも脱帽してしまう。

問題になった「ＢＲＵＴＵＳ」を購入したが、上質な台湾旅行の参考になる内容だ。台湾に遊びに行く予定の日本人に薦めるのはもちろん、台湾の方々にも「日本人が感じている台湾は、こんなふうにとても素敵なんだよ！」と伝えたくなる。なにより本号の表紙が大きく問題視されたのは、台湾の若者に信頼されている日本の雑誌だからだ。しかし結果的にこの出来事が、日本社会の台湾認識を深めるきっかけになったことは間違いないだろう。

2017・8・26

これは主に日本向けに書いたものだったが、公開当時は日本でも台湾でも多くの反響があった。台湾の友人から「いろんな意見があるのは理解できるが、あの表紙が好きだ」「これまでと違う台湾の表情を提示した良い表紙だった」との意見も聞いた。今なら、そう思う人は更に増えているのではないか。台湾人自身の考える「台湾の魅力」はこの数年でどんどん多様化し、そこには少なからず日本も貢献していると思う。

2 移民共生先進国・台湾にみる「お手伝いさん」のススメ

日本語に、「猫の手でも借りたい」という言葉がある。

そして、実際に猫の手を借りた『きょうの猫村さん』（ほしよりこ／マガジンハウス）という漫画がある。家事全般に長けたネコの「猫村ねこ」さんが、とある富裕で事情持ちな家庭に家政婦として派遣される話だ。この猫村さん、料理もお掃除もパーフェクトなのに、緊張して爪を研いだり毛を舐めたり猫舌だったりと何とも愛くるしい。猫だけに人間の事情にもちょっと疎いので、かえって雇い主にとって気の許せる存在だ。この作品を読んだら誰もが「ああ、猫村さんが家にきてくれたら」と夢想するに違いなく、老若男女を魅了して大ベストセラーとなった。

働き手の減少とともに女性の社会進出が叫ばれるなか、仕事・家事・育児の一極集中による女性の負担はワンオペと揶揄され、少子化の進む日本の社会問題になっている。介護分野の人手不足も深刻で、世界中のどこの国より早く超高齢化社会をむかえた日本はまさに「猫の手でも借りたい」ぐらい切迫しているといっていい。

日本政府は、外国人に新たな在留資格を新設することで、移民によって農業や介護現場に対応していく方針を固めた（出入国管理及び難民認定法に関する改正案）。これまでの技能実習という実質を伴わない制度に比べて移民政策は大きく進歩したといえるが、それと同時に様々な問題も予想される。

台湾のリアルなお手伝いさん事情

わたしが暮らす台湾も、日本を上回るスピードで高齢化が進み、家事や介護の分野でも早くから外国人労働者の手を借りている。台湾政府によると、現在は25万人以上の外国人労働者が家事や介護に携わっているそうで、人口２３５０万人の台湾ではかなり高い割合だ。不法滞在や偽装結婚など裏のルートもあるので、実際の人数は更に多いだろう。当然ながらトラブルも少なくないが、概してメリットの方が大きいため、これだけ数が増えたといえる。こうした台湾でのお手伝いさん事情を身近な例から紹介したい。

女性の社会進出が日本に比べ進んでいる東・東南アジアの多くの都市で外国人労働者のハウスキーパーが受け入れられているが、周囲をみる限りでは、住環境が劣悪といわれるシンガポールや香港に比べ、台湾は比較的マシな労働環境のように思われる。自宅介護などで公的な機関に雇い入れを申請する際にお手伝いさん用の個室があるかどうかもチェックされ、契約の時にも休日や労働時間について話し合われる（そうではないブラックな雇い主ももちろんいる）。

わたし自身、直に交流をもった外国人労働者の女性はこれまで15人ほどいるが、その多くがインドネシア女性、続いてフィリピン女性だった。以前の職場でハウスキーパー及び高齢者介護をしていたフィリピン女性は大卒で教員免許も持っていた。フィリピンでは、こうした高学歴の女性でも海外に家事・介護労働で働きに出ている例が多い。英語と台湾華語を流暢に操り、頭がよくて働きぶりも真面目な彼女の給与は相場より高く、故郷が台風の水害で大変だった時も雇い主から見舞金や飛行機代をもらうなど大事にされていた。

外国人お手伝いさんを家族同然に大切にする家庭は少なくない。働きぶりがよく能力のあるお手伝いさんは引く手あまたなので、出ていかれると困るという背景もある。相性の良いお手伝いさんにめぐり合うのは大変なことで、15人以上とっかえひっかえして結局は雇うこと自体を諦めてしまった台湾人マダムもいる。

わたしも事情があってお手伝いさんと暮らしたことがあるが、1人目は2週間でふらりと居なくなり、2人目・3人目もひと月ずつで辞めて、別の職場へ行ってしまった。思いやりをもって接したつもりなだけにショックだったが、当初彼女たちに抱いていた「貧しさゆえに故郷の夫や子と引き離され仕方なく働いている」ようなイメージが、じつは勝手な思い込みに過ぎず、同情や憐みは逆に失礼だと思い知らされた。

我が家に来た2人目のインドネシア人女性は、国に夫と小さな子供がいたが、台湾にもインドネシア人の彼氏がいて、毎晩9時頃に仕事を終えた後はベランダで小一時間ほど電話で彼氏と喋るのを日課にしていた。また毎週末の休日には、インドネシアの人々が集まる郊外のダンスホールへ出かけていった。たいていどの女性もお洒落に関心を持ち、流行の洋服を買うのを楽しんでいる。日々アイロンがけしたり、高齢者の車いすを押しながらハンズフリーの携帯電話で仲間と喋り、情報交換をしながらより良い労働環境を手にしていく彼女たち。物心がついたら結婚させられ子供を産むのが一般的な封建的な環境で育った女性たちにとって、ひとり台湾に来て働くことは自由の獲得であり、ひとつの自己実現の形でもあるのかもしれない（もちろん人権侵害にあたる環境で働かざるを得ない外国人労働者も少なくないが）。

一緒に良い社会を作っていくという意識

台湾にも、制度上の改善の余地はまだまだある。現在の問題は、現場で培われたノウハウが帰国や職場の移動によって引き継がれず、場当たり的になってしまっていることだ。また今後は中国など他所の給与水準が上がることで台湾離れが進み、新たな人手不足が起きることも考えられる。そういう意味で今後多くの人材受け入れを予定している日本も、どうすれば彼女たちにとって日本が魅力的な働き場所となるかを考えることは不可欠だろう。

今や自らの意志でいろんな選択のできる女性らが、もっと高いレベルで自己実現できるような環境、例えば経験値や能力によって給与が上がったり、キャリアを積んで資格を取得することで家族も一緒に暮らせるような滞在ビザが発給されるなど、来日して働くモチベーションが上がるシステムを整えていく必要がある。そうすれば、仕事上起こりうるトラブルを未然に防ぐことも期待できるし、優れた人材が残っていけば結果的に日本社会にとってもプラスにつながっていく。これは家事・介護に携わる人材に限らない。

一世を風靡するような漫画のキャラクターとは、時代の要求の投影でもある。高度経済成長期に求められた原子力政策のなか「鉄腕アトム」が生まれ、平和憲法のもと武力が必要とされる矛盾の中で「ウルトラマン」「巨大ロボット」といった正義の味方が誕生した。現代において「猫村さん」が多くの日本人を魅了するのは、家事・介護労働を担う人材について、日本社会が待ったなしの切実さを抱えている反映だと思えてならない。

かといって、日本人の気質を考えてもすぐさま外国人の「お手伝いさん」に馴染むのは難しいと思われる。幸いお隣の台湾には、そうした外国人労働者問題に関する経験やノウハウ、社会研究の蓄積がある。台湾の先例に学びつつ日本に合った制度設計を進めていくとともに、外国人労働者を「働かせる」のではなくその力を借りて一緒により良い社会を作っていく意識がこれからもっと必要に思える。

２０１８・６・18

3 Kolas Yotaka氏の「豊」は絶対に「夜鷹」ではない
——氏名表記から考える多元化社会と文化

わたしの名前は「ひかり」、ローマ字で“Hikari”と書く。光を意味し、両親が名付けた。外国人にとっては少々呼びづらいようで、英語話者の場合は真ん中のkaの部分にアクセントが付き、ke-aという発音になる。台湾の方にとっては最初のHiが呼びづらくI-ka-riになることが多いので、初めて会った人には華語読みで「光子」（グァン・ヅ、「光」一文字も呼びにくいので「子」を付けた）と呼んでください、と伝えてきた。しかしこの前、取材で台湾原住民タイヤル族の方を訪れた際、いつものように「光子です」と名乗ったら「本当の名前の読み方を教えて」と言われハッとした。わたし自身は、それまで単に相手が呼びやすいという利便性のみで「光子」を名乗っていたが、彼女の目にわたしはいかにも自分の名前に無頓着な人間に映ったと思う。それはわたしが、これまで一度も名前や言葉を奪われたことのない日本語を母語とする日本人として、ぼんやりと生きてきたからに他ならない。

台湾の民主化と原住民族正名運動

２０１８年現在、台湾には約56万人、全人口の２％を占める原住民族16族がいる。台湾は元から彼ら原住民族が暮らしていた土地だが、そこに漢人が移り住み、日本の領土となった後に、国民党と共に更に多くの人々が中国から台湾に移住した。清朝、日本、国民党政権と統治者が移り変わる中で、その時々に合わせて変更・同化を強いられてきたのが原住民族自身の「名前」であり「言葉」だった。１９８０年代後半には、台湾の民主化とともに本格化したのが「土地や個人の伝統的な名前を回復する運動」（原住民族正名運動）だ。その結果、姓名条例の改正が行われ、原住民族本来の名前を選択できるようになったのが１９９５年。わたしと同年代の原住民族は、名前にまつわる自己アイデンティティーと向き合いながら思春期を過ごしたと言っても過言ではない。

台湾原住民族の文化では、儒教の影響を受けた日本人や漢人のような姓の概念がなく、「名前」＋「母もしくは父の名前」＋「土地や自然と関わる名称」という構成が少なくない。自分を生み育んだ土地への誇りや祖先とのつながりが刻み込まれた名前とは、個人のアイデンティティーそのものなのだ。原住民族正名運動とは、自分の名前を取り戻すことで、民族の誇りとアイデンティティーをも回復する運動であった。

出来事は、そうした正名運動の流れの上で起こった。内閣のスポークスパーソンとして任命されたアミス（パンツァハ）族出身の Kolas Yotaka 氏が、伝統的な原住民族名を従来の漢字の当て字ではなくローマ字表記することに世論の理解を求めていた。そんなあるとき、Kolas 氏の「Yotaka」を日本語にグーグル翻訳すると「夜鷹」と変換され、日本語の「遊女（私娼）」を意味するという内容が台湾のＳＮＳで出回った。それ以降、Kolas 氏関連のニュース記事のコメント欄や当人のフェイスブックには、名前にまつわる誹謗中傷が次々と書き込まれた。Kolas 氏本人はインタビューで「Yotaka」は彼女の父親が日本時代に付けた「豊《ゆたか》」という名を引き継いだと説明。しかし、ネットの論調はさらに過激になり「〝豊〟の日本語ローマ字表記は〝Yutaka〟で〝Yotaka〟ではない、日本人は台湾原住民族に対して〝娼婦〟という名前を付けてひどい支配をした」など、日本人に対して悪意ある見方も出現した。

歴史的にみれば、これまで原住民族のアイデンティティを奪ってきた当事者に日本人が含まれるのは確かだ。また、日本が台湾を領土としたことで多くの原住民族が命を落とし、差別されたことは紛れもない事実である。現在の台湾で進んでいる「移行期正義」[*1]の延長として、日本人もきちんと向き合うべき問題であるに違いない。しかし、これまで見聞きしてきた原住民族に関する研究や聞き書きに照らしても、日本人が原住民族に対して悪意を持って「遊女」、もしくはそれに類する名前を付けたような前例は聞かない。

日本語の影響を受けた名詞の数々

この現象の説明として最も得心がいくのが、アミス（パンツァハ）語の母音に関する類推である。つまり、Kolas氏の祖父が日本語の「豊《ゆたか》」の音を転書したときに、「ゆ」と「よ」を混同してローマ字表記した可能性がある。Kolas氏はアミス（パンツァハ）族のルーツを持っており、アミス（パンツァハ）語の母音にはuとoがあるが、uとoに明確な使用上の区別がなく、しばしば混用される。これは多くの言語学者によって指摘されている。

言語学者の前田均氏による論文「台北県政府『阿美語図解実用字典』中の日本語からの借用語」では、100例ほどのアミス（パンツァハ）語における日本語の影響を受けた名詞（借用語）が紹介されているが、その中には「Yutaka」を「Yotaka」と記したのと同じく、母音u→o表記の例を多く見つけることができた。

アミス語	日本語	ローマ字表記
simpo	神父	shinpu
focigkay	婦人会	fujinkai
kagkofo	看護婦	kangofu
komo	ゴム	gomu
solipa	スリッパ	surippa
cyofo	チューブ	chubu
cokoi	つくえ	tsukue
paso	バス	basu
panco	パンツ	pantsu
omi	梅	ume
katacomoli	かたつむり	katatsumuri
sakola	さくら	sakura
yolinohana	ゆりのはな	yurinohana
nanpokoy	南部鯉	nanbugoi
lakota	ラクダ	rakuda
limpo	練武	renbu
komoing	公務員	koumuin

※左側がアミス（パンツァハ）語、真ん中が元の日本語で、右側に日本語におけるローマ字表記／ヘボン式、下線で示したのが母音 u→o 表記の該当部。

前田均「アミ語（高砂諸語）の中の日本語」
（山邊道：国文学研究誌 33、天理大学国語国文学会）

元は日本名といえども、日本語とは異なる表記で代々名前が伝わっていることは、すでに"Yotaka"という名が「豊か」という意味を持つアミス（パンツァハ）語なのであり、これ自体が独自の民族的なアイデンティティーを証明している。加えてこのKolas氏への中傷は、Kolas氏が女性であるから成立しているのは明らかだ。これは日本語と日本文化を利用した、女性および台湾原住民への深刻な人権侵害である。

名前や言語に宿る誇りと文化を尊重

名前や言語には、それを使用する人々の誇りと文化が宿ることはどのような民族の言語においても同じだろう。Kolas氏を誹謗中傷するために、わたしの母語である日本語が悪用されたことで、日本語と日本文化が損なわれ、傷つけられたように感じる。しかしこれも、かつて日本人が他者の言葉や文化を奪った報いといえるのかもしれない。未来にそのようなことを繰り返さないためにも、日本人を含めてこの出来事の意味を考える意義は決して小さくないはずだ。他者の言語や文化を尊重していくことは、同時に自分たちの言語や文化を大切にすることだ。つまり、Kolas氏に中傷の言葉を投げ付けている人々は、自らの言葉や文化を自ら損なっているのだ。

２０１８・８・26

＊1　移行期正義（Transitional Justice　台湾では「轉型正義」）は、国家や組織による人権侵害の過去と向き合い、加害者と被害者の双方がともに暮らす社会の和解を目指す試みのことで、現在の台湾では、国民党政権の独裁体制下で行われた不正義を追及するために使われることが多い。

2020年より始まったコロナ禍で、台湾は一躍「コロナ禍の優等生」として世界で注目された。わたしが特に台湾で暮らしているなかで感心したのは、次々と発生する悪意あるフェイクニュースやデマに対して行政がユーモアのある発信、つまり「humour over rumor（ユーモアは悪意を超える）」という意識で対抗したことだ。後にデジタル相となったオードリー・タン氏に「あの作戦は誰の発案だったの？」と尋ねると、「Kolasが始めたんだよ」と教えてくれた。Kolas氏はかつてこの章で書いたように、悪意あるデマやネット上の攻撃で深い傷を負った。にもかかわらず、更にポジティブな行動で過去の傷を克服しようとしたことにわたしは深く感動し、以来、彼女はわたしのアイドルとなった。

4 台湾は日本を映す鏡
――台湾の「核食」輸入問題から考える

金襴緞子《きんらんどんす》を思わせる色とりどりの秋の錦の中、工芸細工のような鉄橋を電車が渡ってゆく。

ＪＲ東日本・只見線は、福島県会津若松市から新潟県魚沼市の小出駅までを結ぶ鉄道である。会津地方を中心に流れる只見川の渓谷を望み、紅葉や新緑の季節は殊に絶景スポットとして名高い。台北市に暮らす徐嘉君《シュ・ジャジュン》さんは、台湾の旅行雑誌でこの只見線の写真を見て「絶対ここに行きたい！」と思ったそうだ。

嘉君さんは、台北市内でネイルサロンを開いている。オープンして８年、確かな技術と明るい人柄でいつも予約でいっぱいの人気サロンだ。仕事柄、日本の情報にも敏感で、店内にはたくさん日本の雑誌がある。日本への旅行回数はこれまで10回ほど、年に１回か２回のペースで出かけている。初めて福島を訪れたのは２０１５年11月の紅葉シーズン。旅行計画を告げると、周りの反応のほとんどが「放射能を浴びに行くの？」というものだったと嘉君さんは振り返る。

「放射能汚染は全く気になりませんでした。そもそも福島とひと口に言っても、すごく広いことを皆知らない。会津若松は原発事故の起こった海沿いからかなり離れており、むしろ日本海側の新潟県に近い場所。何より、普通の人たちが普通に暮らしている場所に数日行ったところで、悪い影響が生じるとは思えなかった」。嘉君さんと友人の2人で東京から青森に行き、南下しながら福島の会津若松市に1泊、翌日に目的の絶景スポット「第一只見川橋梁」のある福島県大沼郡三島町を訪れ、それからまた東京へ戻る。目まぐるしいスケジュールの10日間で、県内に滞在したのは1泊2日だけだが、地元の方との交流もあり深い印象が残った。嘉君さんは、店の玄関に飾ってある「営業中」と書かれた手作りの紙看板を見せてくれた。地元の方のプレゼントだという。

「三島町で、奥さんが理髪店を経営する傍ら、ご主人がこういった手描きの看板を売っているお店を見つけました。お互いすごく下手な日本語とすごく下手な英語でやり取りして、とっても楽しかった。三島は小さな町だけれど旅行者に楽しんでほしいという工夫がいっぱいある」

政治的な理由だけではない「核食問題」

東京電力福島第一原発事故の後、台湾では福島県を含む近郊5県からの、お酒以外の食品の輸入を全面的に禁止している。しかし、過去数年は未検出が続くなどの実績が評価され、最近は欧米やアジア各国において輸入規制が次々と緩和される中、今や全面禁止を維持するのは中国と台湾のみとなった。近ごろ中国も規制緩和に向けて動き始めたことから、国際社会に歩調を合わせるべきという議論が台湾でも激しくなり、「核食問題」と呼ばれている。「台湾は親日」という認識が強い日本では、台湾の輸入禁止措置は政治問題が足を引っ張っているという論調が強いようだ。確かに、就任当初から規制緩和を模索してきた蔡英文《さいえいぶん》政権に対し、野党である国民党系の政治家やメディアがこぞって反対している報道は多い。しかし、これは本当に政治問題なのだろうか？　周りの友人・知人の話を聞いたり、SNSでの反応を見たりしていると、台湾の人々が反対しているのにはもっと複雑な背景があるように感じる。

最も大きな理由は、政府主導の検査を信用できないと思っているところだ。近年台湾で頻発している食の安全問題で、毒性のある添加物を多く含むでんぷん食品から見つかった「毒でんぷん事件」や、有名な食用油メーカーが組織ぐるみで長年リサイクル油を再利用していた「黒心油事件」、可塑《そ》剤など工業用の有害原料が食料品に混入されていた問題など枚挙にいとまがない。こうした社会問題によって、メーカーへはもちろん、長年そうした状態を放置してきた政府への不信感を人々は一層募らせている。わたし自身も台湾で子育てをしている母親として、心穏やかならざる日々を送ってきたことは確かで、「何を信じればいいのか正直わからない」という台湾の人たちの気持ちはよく理解できる。また、日本への留学経験もあり、日本語も上手で日本人の友達も多い台湾の友人はこう語った。

「原発事故直後にスーパーで福島産の野菜や水産物が安く売られているのを見かけたことがある。日本人でさえ安くないと買わないものを、どうして台湾人に売るのかという気持ちは正直ある」

この友人は、普段はなるべく科学的な根拠に基づいて理性的に物事を判断しようとする。政治的には「緑（グリーン）」と呼ばれる台湾本土派を支持している。そうした友人でさえ、輸入規制緩和には懐疑的だ。昨年日本を訪れた台湾人旅行者は400万人を超え、人口が2350万人の台湾にとって、計算上は6人に1人が日本に行ったことになる。長年日本に住んでいる在住者や留学生もたくさんいて、多くの台湾人が日本の現実を目の当たりにし、肌で感じていると言える。日本への距離的・心理的な近さ。それが「核食問題」の背景のひとつと言えるかもしれない。

台湾人の中にある「質のいいものは日本、悪いものは台湾」という被害者意識

台湾人の食品輸入に関する不安の表れは、日本人が抱えている不安とまるで鏡のように似ている。日本においても、個人によってさまざまな臆測や印象があり、それが今も消費行動に大きな影響を与えていることは否めない。先日、日本に一時帰国していた際、50年も前に水質汚染の公

害が起こった地域周辺で造られた日本酒が、酒の量販店でいまだに驚くほどの安値で売られているのを見かけた。公害は完全に収束しているにもかかわらず、だ。人の心が生みだす「風評被害」は、こんなにも闇が深いのかと感じる。不信を募らせる要因はまだある。前述の嘉君さんは言う。

「私個人は大した影響はないと思っているけれど、反対する人の気持ちも分かる。例えば以前、友人から日本でたばこを買ってくるように頼まれた。空港の免税店で買うと言ったら、免税店でなく現地で買ってほしいと言う。理由は、輸出向けに作っているものより、日本国内向けの方がおいしいから。昔から台湾でよく知られている日本製胃腸薬の『わかもと』など台湾で手に入る一般薬でも、日本で売っている物の方が効くと思っている台湾人は少なくない」

これは根拠のある話ではないし、品質の劣るものを台湾向けに日本が輸出している証拠はない。薬品についても、台湾向けに輸出したもの、台湾で製造されたもの、日本国内で流通しているものと幾つかのパターンがあることで、何らかの違いが発生している可能性はある。しかし、こういった印象は、どうやら昨日今日生まれたものではないらしい。

別の友人は言った。

「バナナなど、日本で食べる台湾の産品は台湾で食べるよりおいしいと誰かが言っていたし、自分でもそう感じたことがある。『品質のいいものは全部日本へ出てしまい、台湾には質の悪いものが残る』、そんな意識が昔から台湾人にはある。単なる思い込みかもしれないけど、それが転じて日本は台湾へ質の悪いものを出すという被害者意識につながったのかも」。これも、実を言えば日本のバナナの追熟技術が発達しているためかもしれず、根拠のある話とは言えない。しかし、往々にして人が他人に持つ印象とは、誤解や思い込みも含めてこれまでに得た小さな経験の積み重ねから生まれる。さらに、肉親や家族・恋人・友人など距離が近ければ近いほど、その印象から引き出される感情には複雑な陰影のひだが付く。国家間の関係にも、似たようなことが言える。

「核食問題」は、日本が台湾とどう向き合うかを考える試金石

「台湾は親日」とは最近の日本でよく使われる表現だが、「親日」とは判で押せばでき上がるものではない。台湾人が持っている日本への感情は多様だ。親しみや懐かしさ、仕事ぶりや日本製品への信頼といった良いイメージも多いが、マイナスイメージだって少なくない。

戦前に日本の植民地だった時代から、戦後に日中友好条約による日台断交を経た日本社会が長らく台湾を見失い、東日本大震災をきっかけに再び台湾を「発見」するまでの長いあいだ、台湾は常に日本をそばに見ながらいろんな印象を蓄積してきたのだ。台湾が「親日」的なのは、そんな印象の数々を束ねて見た場合にプラスイメージが目に付くということでしかなく、その裏返しとして表出した「日本は自国を守るために台湾に犠牲を強いるかもしれず、その時に台湾政府は自分たちを守らないかもしれない」という不安が「核食問題」として台湾の人々を脅かしているものの正体ではないだろうか。また、近ごろ噴出している日本企業の品質スキャンダルが、長らく日本クオリティーを信頼してきた台湾の人々の疑念をさらに増幅させていることもある。日本にとっては、産地の方々が細心の注意を払って放射性物質の影響がないように重ねてきた生産上の努力を無駄にすることなく、明確で科学的な説明をひたすら辛抱強くアピールし、台湾の人々の信頼を少しずつでも積み上げていくことが肝要だろう。そうした意味で「核食問題」とは、これから日本が台湾とどう向き合っていくかを考える上での大きな試金石ともいえそうだ。

嘉君さんは今年の春節休暇の間、今度は写真が趣味の夫とともに、ふたたび福島県を訪れた。会津若松に2泊、三島の宮下温泉に1泊し、雪景色の只見線とわらぶき屋根の伝統建築保存地区である大内宿を見て、その美しさに夫婦で深く感動したそうだ。看板屋のご主人にも再会し、「次回は夫婦でうちに泊まりにおいでと言ってくれた」と、さらに深まった交流をうれしそうに報告してくれる嘉君さんを見ながら、わたしまで旅をしたい気持ちに駆られた。実際に嘉君さんの話を聞いて興味を持ち、福島に旅行に出かけた友達もいて、その実体験の積み重ねは水の波紋のようにゆっくりと輪を広げている。他人がどう思うか、あるいはどう思われるかより、自分がどのように感じ、考えていくのか。台湾の人々のこうした強さも、日本人にとって学ぶべきところは多い。

２０１８・４・８

台湾における福島及び日本の５県の食品輸入は、２０１１年の事故から11年経った２０２２年の２月、ついに再開した。

5 日本人はどうして席を譲らないのか？

——台湾の「同理心」と日本の「自己責任」から考える

「ほら、こっちに座りなさい」

電車やバスの中で身体の不自由な人、妊婦、高齢者、小さな子供づれの人を見かければ誰かしら声を掛ける。声を掛けられた人も素直にそれを受け入れるし、「もうすぐ降りますので」という反応でも特に気まずい空気が生まれることはない。シャイな若者の場合、声は出さずとも、気づけばさっと身体を動かす。今では見慣れた台湾のバスや電車での光景だが、最初は驚いた。なぜなら現在の日本では残念ながら、こういった光景が一般的ではない。日本は、公共の場において親切さに欠ける社会である。妊娠・出産後、しばらく東京で過ごしたわたしは身をもってそれを実感した。あれから10年ほど経つのだから少しは何かしら改善されたのではと思っていたが、知人から現状を聞けば、むしろ状況は悪くなってさえいるようだ。

諸外国に比べて席を譲らない日本人

台湾でよく使われる言葉に「同理心《トンリーシン》」という単語がある。日本語に翻訳する場合は「共感」という言葉に近いが、相手の立場や理屈に立って物事を考えるというニュアンスがより多く含まれ、一語で表すのは難しい。言葉は、その社会や文化を表す。つまり日本は「同理心」を生かす機会が少ない社会といえる。実際に多くの台湾人が、来日してショックを受けた事柄として、日本人が席を譲らないことを上位に挙げている。「公共交通車内における協力行動と規範に関する国際比較」という論文によれば、席を譲る行動について「行いたい」「行うべき」という日本人の規範意識は他国（英国、フランス、ドイツ、スウェーデン、韓国）に比べて同程度かむしろ高いにもかかわらず、「実際の行動に移しているか」という行動頻度については、他のどの国よりも圧倒的に低い。

近年、日本で妊娠期を過ごした知人らに聞き取りを行ったところ、マタニティマークを付けて席を譲られた経験は、実感として2割ぐらいという。眠っていたり、スマホに熱中していたり、気づいていないふりをされたりすることも多い。首都圏に暮らすある台湾人女性は、妊娠中に通勤電車の中でどれだけ席を譲られたかを毎日記録していた。土・日曜を除く1カ月を20日と設定し、往復で40回乗車したうち譲ってもらえたのは3〜6回というから、結果は2割にも満たない。お腹の大きさが目立つようになって割合はいくらか上がったが、それでも5割程度という。台湾ならば、お腹の目立つ妊婦が立っているのを放って置かれる方がまれだろう。

妊娠初期は体調がすぐれないことも多い。つわりがひどく、立ったままの電車通勤に耐えられず、安定期に入るまで1カ月休職せざるを得ない時期もあった。会社はデスクワークだったので仕事は何とかこなせたが、通勤さえ座ってしのげれば休職する必要はなかったと言い、「すべての女性が輝く社会づくり」という言葉が首相官邸のホームページに大きく掲げられている国の実態がこれかと悲しくなる。高齢者に関しても同様で、70代ぐらいの人が90代の人に席を譲るなどお年寄り同士で助け合う場面はあっても、若い人から席を譲られる機会は少ないという意見が多かった。これらは首都圏でのみ目立つ現象なのか知りたくて、首都圏以外（札幌、長野、名古屋、京都、大阪、奈良、熊本）で妊娠・子育て経験者や高齢者の方にも聞いてみたところ、首都圏に比べいくらかましとはいえ、台湾と同じくらいとは言い難かった。日本人の誇りは何かと問われおもてなしの心やマナーの良さを挙げる人は多いだろう。それなのに、多くの外国人から呆れられるぐらい席を譲ることができないのは、どういった論理や心の作用から来ているのだろうか。

行き過ぎた「自己責任」がマイナスに作用

よく言われる理由に、日本人の通勤時間が長いことが挙げられる。残業や激務で疲れ果て、自分を後回しにできる心理的・体力的な余裕がないのだ。茨城県から都内へ通勤をしている男性は、席を確保するため4、5本の電車を見送ることも少なくない。そうまでして手に入れた席を譲る気持ちにはなれないという。また、高齢者に席を譲るのをためらう理由として、「年寄り扱いされるのを嫌がる高齢者がいる」「譲ろうとしても断られ、時には逆ギレされることもある」という話もよく耳にする。台湾でもこうした例がない訳ではないが、だからといって、以降はもう譲らなくていいとは考えない。これについてある台湾人は、「そんなことを恐れていたら、本当に席を必要とする人を助けられない」と答えた。こうしてみると、他人との間に発生する迷惑への恐怖心や面倒を煩わしく感じる気持ちは、日本人と台湾人では随分と差があるようだ。

例えば台湾の「同理心」に対し、日本でよく見聞きする言葉に「自己責任」がある。これは、2004年のイラク邦人人質事件で日本社会に定着し、最近ではシリアで人質になり解放されたジャーナリスト・安田純平さんを非難する際に使われ、多くの論争を巻き起こした。本来は「契約などにおける免責事項（英語ではOwn risk）」を表す概念だったが、今となっては強者が弱者を助けることを拒否し、そうした状況を嘲笑するニュアンスで使われることもある。こうした多義的な日本の「自己責任」という言葉を台湾の言葉に翻訳する場合、やはりひと言で表すのは難しい。今の日本社会で、妊娠や高齢ということは「自己責任」の範囲にあり、人に迷惑をかけないようひたすら我慢すべきという意識が働いているのかもしれない。日本人は幼いころから徹底的に他人に迷惑や面倒をかけないことを美徳として身に付けるが、それが今では逆に迷惑や面倒をかけられることを許さないといった負の気持ちを増幅させる原因になっているようだ。

一方の台湾では、自分と他人との関係は、凸凹の面が組み合わさっているような状態だ。相手に迷惑をかけることがあるかもしれないが、逆に相手が困っているような状況なら、その面倒は引き受ける。多くの接点があるために、その摩擦からトラブルが発生することも避けられないが、孤立することもない。

もちろん物事には必ず短所と長所がある。震災などの非日常において、なるべく他人に迷惑をかけないよう行動する日本人の姿が、海外でも称賛を受けたのはその一例だろう。逆に台湾では、2018年9月、台風により関西国際空港で自由旅行客が一時的に空港に閉じ込められた際、台湾政府に救助を求める世論が台湾外交官を自死に追い詰めたのは、「自己責任」的な感覚の欠如の結果だったとも言える。こうした行き過ぎた「同理心」は、当時の台湾のSNS上で「巨大な赤ちゃん」と批判された。とはいえ、現在の日本における弱者に対する「自己責任」を求める態度もまた行き過ぎと感じる。人生は長い。誰しもいつかは老いるし、不測の事態でいつ周りの手助けを必要とするようになるかも分からない。日本人が台湾を評価する際、日本が失ってしまったものが残っていると口にするのは、お互いさまという気持ちが台湾社会でまだまだ成立していることの表れかもしれない。

2018・12・2

6 台湾を愛した新聞記者の死

9月17日の朝、驚きのあまり動けなくなった。フェイスブック上で、とある友人に宛てられたメッセージを見つけたからだ。内容は「ご友人の皆様へ。中川博之様が、今朝早く台北市内にて交通事故のため、ご逝去されました」から始まる一文だった。

中川さんとわたしは、その3日後に共通の友人と3人で食事をする約束をしていた。つい一昨日まで、LINEやフェイスブック上でもやりとりをしていたではないか。信じられない気持ちでいっぱいだった。悪い冗談だと思った。

日台の各界から葬儀に参列

中川さんは、福岡に本社を置き九州全域で販売される「西日本新聞」に所属する記者だった。

2016年の9月から台北支局長として赴任し、ちょうど1年目が過ぎたころに事故は起こった。9月17日未明、故郷の熊本県と宮崎県との合同県人会のために集まった帰り、中山北路上の横断歩道ではないところを横切った中川さんは、街路樹が植えられた二つの中央分離帯のうち、一つ目を越えたところでタクシーにはねられた。警察からの連絡を受け、日頃から中川さんと親しかったアートディレクターの岡井紀雄さんが台湾大学病院に駆け付けたときは、ほぼ即死の状態だったという。

「穏やかな顔をしていたので、落ち着いて寝ているんだと思いました」と言って岡井さんは、中川さんとのLINEを見せてくれた。翌日の晩に中川さんが好きだった温泉に一緒に行く約束をするやり取りがあり、その下に警察から連絡を受けた岡井さんのメッセージが続いていた。「事故に遭われたみたいですが、大丈夫ですか」「今から台大病院に向かいます」岡井さんのメッセージが既読になっていないことに気づき、胸が苦しくなった。なぜならそこに既読の文字が付くことは、この先もずっとないからだ。

台湾では、100メートル以内に横断歩道がある場合、道路を横切ると交通違反になる。事故相手のタクシー運転手は、これまで無事故無違反だった。現場のあたりを日常的に運転する友人によれば、「信号につかまりたくないから特にスピードを上げる」危険な場所でもあった。現場で献花をする際、怒りと涙が込み上げてきた。「どうしてこんなところを渡ったの？　中川さん」。直前まで一緒にいた熊本県人会の方は「多少お酒は入っていたが、特に酔っていたようには見えなかった」と話した。

9月20日の早朝、台北の第二殯儀館で葬儀が行われた。お子さん5人を含むご家族と西日本新聞本社の方々が福岡より来台された。台湾における日本の大使館に当たる日本台湾交流協会台北事務所の沼田幹男代表をはじめ、日本人会や台北東海ロータリークラブ、県人会、記者クラブなど多くの団体・個人の参列があり、台北市観光局の簡余晏《ヂエン・ユーユエン》局長も顔を見せた。日常的な業務の他、面白いテーマを探して積極的にさまざまな会や団体に顔を出し、人脈を作った中川さんの葬儀には、わずか1年という駐在期間にもかかわらず100人近い参列者が集まった。泣いている人も少なくなかった。優しく愛嬌《あいきょう》があって気前が良く、情熱的な中川さんはたくさんの友人に恵まれ、慕われていたと思う。

台湾各地を精力的に取材し報道

わたしと中川さんが知り合ったのは、中川さんが所属していた台北東海ロータリークラブの例会の席である。2017年1月に台湾で出版した拙著『台湾、Y字路さがし。』をご存知だった中川さんが「今度取材させてほしい」と声を掛けてくれたのだ。

歩くだけで汗が噴き出すような暑い日で、台北のMRT古亭駅で待ち合わせをし、川沿いにある日本時代の料亭「紀州庵」までを歩いた。中川さんとの小さな旅は2017年6月19日付の西日本新聞紙上で、「Y字路探し時間旅行」というタイトルの記事になった。わたしとの散歩を軸とし、書籍の言葉を引用しながら、中川さんによって完成された一篇の上質な「街歩きエッセー」だった。その他、中川さんによってこの1年間に書かれた署名記事をまとめて拝読したが、特に目立った特集や連載に以下がある。

・台湾人も含めた当時の日本人10万人以上が太平洋戦争中に沈んだバシー海峡の戦没祭について『船の墓場』日台結ぶ」（2016年12月24日付）

・二二八事件で若者たちを守り、自らが犠牲になった台南の弁護士・湯徳章（坂井徳章）を取り上げた「台湾の若者守った日本人」（2017年1月4日付）

・台湾屏東竹田郷で、日本人が寄贈した図書を基に開設された日本語図書館を通した日台交流を伝える「日本語図書館　日台結ぶ」（2017年1月28日付）

・2011年の東日本大震災のときに大きな義援金が送られた背景を小説として描いた在台30年の作家・木下諄一さんの『アリガト謝謝』について「被災地支えた台湾物語～250億円の募金

活動を小説化」(２０１７年3月21日付)
・桃園の原住民タイヤル族の歴史を知る「先住民の権利　命がけ闘った」(２０１７年4月17日付)
・日本統治時代に育った台湾人が立ち上げ創立50年を迎えたグループ「台湾歌壇」の日台をつなぐさまざまな思いをつたえる「『愛日』短歌に50年」(２０１７年4月21日付)
・花蓮の日本人移民村・豊田村跡を訪ねた「開墾、風土病と闘った移民村」(２０１７年5月１日付)
・世界最長の38年間に及んだ台湾の戒厳令から30年目を迎えた台湾の様々な声を伝えた。「台湾弾圧の時代忘れない」(２０１７年7月16日付)
・戒厳令中に政治犯が収容された離島・緑島について書いた「台湾戒厳令解除30年～弾圧の闇監獄島は語る」(２０１７年8月21日付)

こうしてみると、1年という短い時間でどれほど精力的に台湾各地へ足を運んでいたかがよく分かる。中川さんとの共通の友人で、蔡英文総統の自伝を翻訳した九州大学研究員・前原志保氏は、「知らない事柄があっても、言葉が分からなくても、取材対象の懐にぐんと飛び込んでいく大胆さと熱意があった」と中川さんを評した。

相対的な視点を心がける報道

日本では、東日本大震災以降に台湾への認識が広がり、報道も増えた。以前よりもぐっと台湾との距離は近くなり、それに比例して歴史も含めた理解が深まっているかといえば、疑問が残る。これは「親日」「食べ物がおいしい」「懐かしい」などのキーワード以上に語られる機会が少ないことに原因があるように思う。わたしも台湾で長年暮らしてきて、台湾の方々の親切さは肌で感じている。この肌感覚で台湾に来ると、当初は「台湾は本当に心底親日！」と思いがちだが、だんだんと後ろにある陰影が見えてくる。実際、台湾では世代によって日本人を好ましいと考える理由は異なるし、民族的な背景もさまざまだ。ひと言で「親日」といってもその奥底は複雑で、理解するには歴史の勉強を含めた時間が必要とされる。それを中川さんは、在台1年に満たないにもかかわらず、できるだけたくさんの人の視点に立つことを心がけ、細心の注意を払い、丁寧に言葉を選んで伝えた。

例えば、日本時代の初期に台湾東部にできた移民村「豊田村」については「日本人移民は、開墾によって生活の場を奪われる先住民の抵抗にも苦しんだ」と書き、日本人移民の苦労を想像しつつ、台湾原住民にも寄り添った。また台南の弁護士・湯の記事では、タイトルだけだと単純な日本人賛歌と思われる記事の中にも、「差別に苦しむ台湾人の人権を守るには弁護士になるしかないと東京に移り住み、苦学の末に司法試験に合格した」と記し、当時の日本人による台湾人差別があったことを明確にしている。このように相対的な視点は、中川さんが書いた全ての記事に共通しており、1年に満たない中でこれだけの理解を身に付けるには、相当の努力と苦労があったと察する。

台湾での充実した日々に感謝

前出の岡井さんによれば、事故後に初めて訪れた中川さんの部屋は、資料や本であふれ、壁いっぱいに掛けられた各地の台湾原住民の伝統衣装には、それぞれに細かな説明がびっしり記されたメモが付いていた。また、毎日のように深夜の2〜3時までオフィスに残って残業していたともいう。

「台湾にいる限られた間に一つでも多く仕事をしたかったのだと思う。そして台湾に来て本当に良かったと、よく言っていました」。日本のご家族によれば、痛む身体のためにリクライニングシートを購入するほど疲れていたという中川さんだが、岡井さんとバスに乗るときは、いつもお年寄りが乗ってくるかもと、絶対に席には座らなかった。また、司馬遼太郎の『街道をゆく〜台湾紀行』で知られる「蔡焜燦さんを忍ぶ会」では会の1週間前に亡くなった中川さんから供花が届き、蔡総統からの花の脇に飾られた。生前に注文していたのだろうが、気遣いの細やかな中川さんらしい。亡くなった後にあふれ出るエピソードのどこを切っても、他人の考えや立場を思いやりながら仕事に全力を傾けた中川さんの人柄が金太郎飴のように顔を出す。

わたしは書き手として中川さんより随分と経験は浅いが、伝える側に身を置く人間として中川さんから大きなことを学んだ。いつか再会したときに、「こんな仕事をしたよ、中川さん。あのとき応援してくれてありがとう」と伝えられるようやるべき仕事をしっかりやっていく。それがわたしのできる中川さんへの最大の供養だと思う。中川さん、どうぞ安らかに。いつかまた、一緒にどこかのY字路を散歩しましょう。合掌。

2017・10・28

7 なぜ台湾で「誠品書店」が生まれたのか？

2006年から台北で暮らすようになった。その頃の台北といえば、美味しいパンやケーキにありつくのは至難だった。日本式ラーメン屋さんのスープは総じて薄く麺はぶよぶよ（日本より薄味を好む台湾人の味覚に合わせたため）、カフェだらけの今の台北からは想像もつかないほどコーヒーを飲むことも一般的でなかった。当時、そんなわたしの心のよりどころだったのが誠品書店である。夜中であってもそこに出かければ、みんな思い思いの場所であらゆる国からきた雑誌や本を読んでいた。本を眺め飽きたら、カフェに座ってコーヒーやベルギービールを飲み、地下の音楽ショップでCDを視聴して、誠品セレクトのワインを買って帰る。館内のギャラリーではコンテンポラリーアートや、若手プロダクトデザイナーの作品も鑑賞できる。これらすべてが一軒の本屋の中で完結する。そんな場所はその頃、東京にもなかった。だから誠品書店は2011年にオープンした代官山 T-SITE（代官山 蔦屋書店）のロールモデルになったとも言われた。

みんな誠品書店で大きくなった

アジアを中心に世界で40店舗以上を展開する、台湾を代表する企業のひとつとなった誠品。もともとは欧米のインテリア設備や建材を輸入する小さな会社だったが、創業者で台南出身の呉清友《ウー・チンヨウ》が自身の心臓の手術をきっかけに一念発起し、書店として開業した。38年に及ぶ世界最長と言われる戒厳令が解かれた2年後、1989年のことである。

当初は台北市東区仁愛《レンアイ》ロータリーの、地下から天井までが吹き抜けになった瀟洒な建物の中にあった。品揃えは建築やアートの専門書が中心で、「誠品」の黒い会員カードは当時の台北の文化系青年たちの自慢のアイテムだったという。1995年に仁愛ロータリーから目と鼻の先の場所へうつり（敦南本店）、1999年より24時間営業となる。文化、芸術、ライフスタイルをまたいでオルタナティブな価値を創造した誠品書店は、いま台湾で活躍するクリエイターや文化人に多大な影響を与えてきた。みんな誠品書店で大きくなった、といっても過言ではない。最近でこそ街のあちこちにお洒落なお店やカフェも増えたが、かつては日本の都会に比べお世辞にもイケてるとは言い難かった。そんな台湾で、どうして誠品書店のような存在が生まれ得たのだろうか？

赤字経営を支え続けたパトロンの存在

２０１７年に惜しまれつつ亡くなった誠品書店の創業者、呉清友が誠品書店を始めたときに述べた深い言葉がある。

「私が開くのは書店ではなく、読書を広める場所だ」

美術作品の収蔵家で、ずば抜けた目利きとしても知られた呉清友だが、誠品書店がここに来るまでの道は決して平たんではない。『台湾文学と文学キャンプ――読者と作家のインタラクティブな創造空間』などの著書を持つ、台湾文学研究者で大妻女子大学教授の赤松美和子氏はこう語る。

「誠品書店は多様な個性を持つ書店の誕生を導き、本を中心に人が集う新たな書店文化を築いてきました。しかし最初から経営が順調だったわけではありません。十数年間も続いた赤字の時期、それを経済的に支え続けたのが電子部品メーカーのペガトロン会長・童子賢《ドン・ズーシェン》です。童氏は、台湾に誠品書店のような文化的ランドマークが必要だとの思いから支援し続けたそうです。文化創造のために様々な形で応援・支援する個人サポーターも、台湾の文化を語る上で欠かせない存在だといえます」

1960年初頭よりOEMを中心に電子部品を作ってきた台湾の中小企業は、常に抜きんでたコストカットを実現することで国際的なシェアを誇るようになった。そのため極端なCP（コストパフォーマンス）を追いもとめる姿勢が、台湾社会の文化や生活面に多くの弊害を生んでもいるが、一方で台湾独自の文化を確立することで台湾の付加価値をあげ、結果的に自社のブランディングにも成功したのがペガトロンなどの企業である。

ペガトロンの童子賢会長は、自身の事業においても単なる電子機器の受託生産ではない、設計・製品企画を請け負うOIM（Original idea manufacture）と位置付けて徹底的な付加価値向上をはかり、世界的企業に成長させた。パトロンとして長いあいだ誠品を支えてきたこととその経営姿勢とには一貫した思想を感じる。日本でいえば九州ほどの大きさの島の中から、TSMCなどの半導体企業やパソコンのASUS、Acer、カヴァラン・ウイスキーを作った金車グループ、自転車のGIANTなど世界レベルの企業が多く誕生している理由は、台湾という場所ぐるみでの成長とブランディングを目指した企業戦略の賜物であり、それらを背景に誠品もここまで来たといえそうだ。

「良いとこ取り」で育まれてきた台湾文化

台湾の置かれた地理関係にも大きなヒントがある。日本・中国・アメリカという3つの大国のまん中に位置する台湾は、文化的にも常に周辺国の良いとこ取りをすることで育まれてきた。旅行や留学で日本に行けば80年代前後に盛り上がったセゾン文化やポストモダニズム文化に触れられたし、ABC（American Born Chinese）と呼ばれるアメリカ移民の子供たちを通じ、欧米の建築やアートなどの知識やセンスを吸収した。

また中国において文化・言論的な自由が制限されているぶん、「華語文化」「華文創作」などのプラットフォームを台湾が担ってきたことも大きい。映画監督として世界的に知られるマレーシア出身の蔡明亮《ツァイ・ミンリャン》をはじめ、マレーシア・タイ・シンガポール出身の華人創作者の多くについて、台湾がその作品発表の窓口となってきた。わたしが台湾で出版した華語書籍も誠品書店を通じて香港・マレーシア・シンガポールで販売されている。

そうした誠品が日本にできることで、年々悪化していると言われる日本の出版環境に、変化をもたらすことはあるだろうか。前述の赤松美和子氏はこうも話す。

「誠品書店から、日本の書店のあり方に新たな提案がなされようとしています。これを機に日本でも、一方的に書店に期待を寄せるだけでなく、ひとりひとりが文化創造のサポーターとして本と関わっていく喜びと充実感を感じ、新たな日本の書店文化が生まれるきっかけとなることを願っています」

わたしが期待したいのは、誠品が日本における東アジア文化への「どこでもドア」になることだ。日本に居ながらにして台湾や香港・中国・東南アジアにおける現代華文創作やエンターテイメント、クリエイティブデザインに触れ、日本の人々がめくるめく変化するアジアの「今」をより身近に感じられるようになれば嬉しい。

2018・10・23

この文章は2019年の誠品生活日本橋店開業に向けて発表した。拙著『時をかける台湾Y字路〜記憶のワンダーランドへようこそ』も、開業したばかりの東京誠品で出版イベントをできた。その後は誠品のみならず、紀伊國屋書店をはじめ多くの日本の書店が台湾関連書籍に力を入れるようになったのは嬉しいことだ。当の台湾の誠品は本文にも登場するシンボル的な存在であった敦南本店も閉店、信義店は2023年末に閉店の予定だが、代わりに台湾各地で10店舗が開店予定など、新たな展開をみせている。

8 台湾の「先手防疫」と日本の「ホトケ防疫」

台湾人から投げかけられた疑問

新型コロナウイルス（COVID-19）が世界中に拡大している現在、どの国でも朝から晩までこのニュースで持ち切りだ。それでも2月半ば以前（つまりプリンセス・ダイヤモンド号内での感染拡大が判明するまで）の日本ではどこか他人事のようで、暖かくなれば終息するだろうという楽観的な空気さえ漂っていた。

わたしは台湾で暮らしているが、のんびりとした日本の姿勢を奇異に感じる周囲の台湾人は少なくなかった。「どうして日本では早く対策をしないのか？」という疑問を、1月末に何人もの友人知人から投げかけられた。日本政府の態度は台湾メディアで「佛系防疫《ホトケ》」と評された。「佛系」とは、日本の女性雑誌による造語「仏男子（ブッダンシ、ブッダのように恋愛にガツガツしない男子）」が元ネタになり中華圏で流行したネットスラングで、成り行きに任せ、淡々と、何も欲せず求めずといった生活態度を指す。日本政府の無為無策とも見えた新型コロナウイルスへの対策をそんな言葉で揶揄《やゆ》したのである。台湾でのコロナ対策は、それほどまでに早かった。

先手を打つとはまさに今回の台湾のためにある言葉、というほど台湾政府が対応を急いだのは理由がある。２００３年に猛威を振るったＳＡＲＳで73人の人命を失った悪夢を、繰り返したくないからだ。台湾が取った対策は早期から細やかだが、特に中国・香港・マカオからの渡航禁止や、すべての公立学校の春節休み２週間の延長を早期に決めたのは、大きなインパクトがあった。実際３月６日現在で、主な10の感染国・地域のうち、台湾は感染確認数も死亡数も一番低い。マスクの買い占めや輸出禁止策・国内マスクの生産ライン増強を図ってマスク量を確保したほか、２月６日以降はマスク購入に実名制を導入し、必要な人に公平に行き渡らせる措置も講じた。デジタル担当の政務委員（閣僚）オードリー・タン（唐鳳）をはじめ、シビック・テック（テクノロジーを使って社会課題解決をおこなう市民グループ）によって作られた全国の薬局マスクマップや保険証との連動による配給型のマスク購買システムは、日本をはじめ世界のメディアでも称賛された。２月25日には、ウイルスの感染拡大により打撃を受けた産業を救済するための特別法が可決され、６００億元（約２２００億円）を上限とする予算が組まれたほか、マスクなどの防疫物資の買い占めや転売、デマの拡散に刑罰が科せられた。力強い対策を進めるのに大きな役割を果たしているのが、移民署・衛生署・交通部など部署を越えて作られた組織横断型の「中央流行疫情指揮中心」（中央感染指揮センター）である。自身も歯科医師である陳時中《ちんじちゅう》衛生部長率いるセンターでは、あらゆる予防と対策を検討しながら毎日記者会見を行い、最新の情報を公開し、透明性を徹底している。早期から「チーム台湾」でウイルスに立ち向かっていく姿を見せて国民に安心を与え、信頼を得ることでパニックを防ぎ、正しく恐れる姿勢を保つという好循環を生んだ。

世論ファーストの台湾

こうした日台の対応の違いは、なぜ生じたのだろうか？　一番の理由は、各々の政治がどこを見ているかに尽きる。例えば、3月4日に中国の習近平国家主席の訪問が延期されたと同じ日に、中国からの入国制限が決定されたのは象徴的だ。日本の政治はこれまで、東京オリンピックや国際的な体裁、他国の顔色を見ながら対策をしてきた（あるいはしなかった）ようにわたしの目には映る。一方で、台湾の政治は明らかに国民を見ている。台湾の有権者がそれだけ厳しいからだ。蔡英文政権は2018年の統一地方選挙で大敗した苦い経験もあり、少しでも手を抜けば世論によって政権を追われる緊張感を持って事に当たっているのが、ひしひしと伝わってくる。おかげで、今年1月に再選を決めたばかりの蔡政権のその後の支持率は54％、防疫対応満足度は83％と、政府への高い信頼感となって表れている。自分が選んだ政府がさっそく高いパフォーマンスを発揮してくれている、そのことへの台湾有権者の満足感がはっきりと分かる。しかし社会の制度設計が全く異なる日本において、台湾の手法をそのまま取り入れることには慎重になる必要がある。例えば、ＳＡＲＳのときに大型の院内感染が起こった事例を踏まえ、台湾では医療従事者の出国を禁止する方針が打ち出されたが、医療従事者は人権侵害と反発した。

人権との両立の問題も

そもそも公衆衛生とは、自由や人権とは必ずしも相いれないものである。非常事態が起これば都市封鎖で住民の外出まで制限することのできる中国が、人権侵害の問題を常に抱えていることでも明らかだ。台湾もほんの30年ほど前までは独裁政権の戒厳令下にあったが、１９９０年代の李登輝《りとうき》総統時代に4度の憲法修正を経て、「国民の基本的権利を抑圧し蔣介石・蔣経國の強圧的な権力行使を可能にしてきた各種の法律は改廃された」（「台湾の民主化と憲法改正問題」小笠原欣幸）。しかしプライバシーに関していえば、個人の出入国を病院窓口でチェックできるなど、個人情報がＩＤカードや保険証にひもづけされていることに国民自身も比較的抵抗がないように見える。同時に、このように国民の管理が進んでいることは、その時々の運用者の「徳」にすべてが委ねられる。逆に言えば、上に立つ人によっていくらでも悪用できてしまう。それほど効率と人権と自由とのバランスは難しい。

暗い時代を耐えて民主を勝ち取り、その危うさをよく知っている台湾の人々は、人権侵害など問題が起これればすぐに何千何万人規模のデモを行うことで政治を見張り、選挙でも真剣に投票するのだろう（２０２０年の総統選挙の投票率は75％）。蔡政権の迅速かつ的確な対応は、生きた民主主義とセットになった好循環で成り立っていると言えるかもしれない。

日台の対応の違いに影響したと思われることがもうひとつある。日本人が日本以外のアジアの状況について無関心で来たことだ。例えば、春節休暇には中華圏の人々が大移動するため、伝染病の拡散リスクが格段に高まること。早くからマスクの買い占めを予測し、マスクの増産に取り掛からねばならなかったこと。シンガポールのような熱帯でも感染が広まっていることが周知されていれば、暖かくなればという誤解も生まなかったろう。ＮＨＫの新型コロナウイルス特設サイトでは、全く感染状況の違う台湾と中国とを同じカテゴリーに入れたことで、台湾でも大きな反感を買った。過去において台湾や香港は２００３年のＳＡＲＳ、韓国も２０１５年のＭＥＲＳで危機に陥った経験が今回の防疫に生かされている。そうした意味で、日本は戦後、そこまで深刻なパンデミックにも至ることなく済んできた幸せな国だった。しかし、人も言葉も疫病も国境を自由に越えて行き来できるいまの時代に合わせて、日本も変わるべきタイミングを迎えている。

2020・3・14

9 新型コロナ問題で台湾が教えてくれたこと
——マイノリティへの向き合い方

感染者ゼロの日

4月14日の夜、台湾台北市のランドマークである円山大飯店の客室が初めて「ZERO」という言葉を灯した。新型コロナウイルスについて、台湾で新規感染確認0人が報告されたのを受けて、これまで努力を重ねてきた人々をたたえ、ねぎらうための輝きである。

総感染者数——429人、新感染者——0人、死亡者数——6人（2020年4月28日現在）

その後、海外より帰台した海軍のクラスター発生でいくらか動揺はあったものの、感染拡大は抑えられている。4月28日時点においては3日連続で新規感染者ゼロ、市中感染は16日間連続してゼロを記録。この「ゼロ」という数字が与えてくれる「守られている」感覚は強力だ。自分と社会が確かにつながっていて、あまたの手がその間に関わり、大きな信頼に抱きとめられているような……。

わたしは台湾で暮らす外国人、いわゆるマイノリティだ。配偶者ビザを持っているが、台湾の国籍を有しているわけではない。それでも今はっきりと、自分がこの共同体を構成している一人だと感じる。自分という個人の輪を広げていくと台湾社会になり、そこに落っこちてしまいそうな穴は開いていないように思える。大げさな言い方だが、こういう感覚を味わうのは生まれて初めてかもしれない。世界が今まで以上に美しく、いとおしい。まだまだ予断を許さないとはいえ、今のところコロナ対策に成功している台湾は世界中で猛威を振るっているコロナ禍を通じて新たな風景を見せてくれている。

BBCの報道番組「ニューズナイト」の司会者エミリー・メイトリスは、「多くの政治家が口にする、コロナウイルスは金持ちにも貧乏人にも平等であるという言い方は不遜である。実際には、低所得者ほど感染する危険が高く、これは公衆衛生の問題であると同時に社会福祉の問題なのだ」と言った。米国では多くの州や地域で黒人の感染者の割合が著しく高いという報告もある。その理由は、貧困からくる糖尿病・心臓疾患・肺疾患など基礎疾患の影響や医療における差別、テレワークが困難な仕事をしている人が多いことが指摘されている。

歴史の全てが今回の対策に生かされている

台湾では今のところ、比較的平等に誰もが守られていると感じる。マスクひとつ取っても、老いも若きも富めるものにも貧しきものも、皆にサージカル・マスクが行きわたるようになった。夜市や屋台も営業している。公立の美術館や博物館は、消毒や入場制限をしつつ開館を続ける。子供たちも毎日元気に学校へ通っている。経済格差や家庭環境の影響が特に大きいのが教育だ。もし学校に通えずホームスクーリングになった場合、オンライン環境や学習意欲の差は子供の将来に関わるだろう。また台湾では、２０１９年に合計16万９４４件の家庭内暴力（ＤＶ）が報告されており、中でも児童虐待は２万９８９件を占める。もし学校がなければ、少なくない数の子供たちが始終虐待の危険にさらされる。

徹底的な水際・封じ込め対策を行ってきた台湾で暮らして分かったのは、今回のように感染症などが流行した場合、できるだけ早い封じ込めを目指しながら、情報をオープンにして共同体全体と信頼関係を築くことの重要性だ。最初は社会的コストがかなり予想されるとはいえ、先延ばしにして都市がロックダウンすることになった場合のダメージは計り知れない。またそのおかげでマイノリティであっても生存を脅かされずに済む。

世界で今回のコロナ対策における台湾の評価はうなぎ登りである。従来の中国との緊張関係によりWHO（世界保健機関）を過信せず独自の対策を講じたことや、SARS（重症急性呼吸器症候群）の経験、論功行賞にとらわれず実力に応じて専門家を閣僚に任じ尊重してきたことを、多くのメディアや論者が指摘している。どの理由もその通りだと思う。しかし、根本的な理由はもっと深いところにあるのではないかと感じる。簡単に言えば、台湾がたどってきた歴史の全てが生かされている、というものだ。

マイノリティへの「自分ごと」という向き合い方

台湾のモットーとは何だろうか？　それはWHOのテドロス事務局長が「台湾からの人種差別攻撃を受けている」と台湾を非難した際に、蔡英文総統が応じた「台湾は長年国際社会から排除され、孤立する意味をよく知っている。台湾はいかなる差別にも反対する。台湾の持つ価値観は自由、民主、多様性、寛容である。テドロス事務局長を台湾へ招待したい。そうすれば我々の努力が分かるだろう」（筆者簡訳）という品格ある反論に端的に示されている。台湾がこうした価値観を獲得するまでの道のりは長く険しい。50年間の日本植民地時代を経て、1945年を境に中華民国国民党の統治下に置かれた台湾では、二二八事件の勃発と戒厳令により、無実の人々が政治弾圧のために拘束・処刑される「白色テロ」の時代を経た。その後、1980年代に盛り上がった民主化運動を受けて1987年に戒厳令が解除され、1996年の総統の直接選挙につながった。「台湾人の台湾人による自決権」が、ついに実現されるのである。

三度の政権交代を経験した台湾で育まれたのは投票による「チェック機能」だった。選ばれたリーダーが権力を悪用したり落ち度があったりしたと感じれば、台湾の有権者は大規模なデモを行い、糾弾し、投票で政権から容赦なく引きずり下ろした。

民主化と共に爆発的に盛り上がったのは、長年抑圧されてきた女性や原住民族、性的少数者(LGBTQ)などのマイノリティ権利運動である。2005年には憲法で立法委員(国会議員)の女性議員の比率にクオータ制(定数の約3割を占める比例代表において、各政党は半数以上を女性にしなくてはならない)を導入し、女性議員の比率を高めた。また近年の原住民族運動における掛け声「部外者はいない(没有局外人)」にも顕著なように、あらゆる災禍や不平等を「自分ごと」としてとらえ、寄り添い、手助けしようとする気持ちも育まれた。これは、2011年東日本大震災の際に日本に贈られた莫大な義援金にも表れている。2019年にはアジアで初めて同性婚が法律で認められ、男女格差を表すジェンダーギャップ指数は、アジアでトップだ。

さらに2020年1月の総統選で、蔡英文政権を再選へと導いた大きな「自分ごと」があった。前年の香港デモである。中国政府による、香港はじめウイグル・チベットへの弾圧、情報統制や人権侵害を間近で目撃してきた台湾は、いま手にしているリベラルな価値観が経済的豊かさと引き換えにできないことを認識し、自らの台湾アイデンティティーにその意識を同化させたのだと思う。つまり、今回のコロナ禍が問うているのは、その共同体が常に価値観をアップデートさせてきたかどうか、なのだ。例えば台湾、ニュージーランド、ドイツなど、今回のコロナ対策で死者を比較的低く抑えている国の共通点は女性がトップという話がある。

ここから導き出される答えは、女性が優秀であるといった話ではない。女性がリーダーになれる国では、伝統的なジェンダーや慣習よりも実力や新しい発想が重んじられ、マイノリティが重視され、柔軟に社会が変わってきたのだと思う。マスクアプリ開発で日本でも一躍有名になった天才IT担当閣僚オードリー・タンの起用も、そうした例のひとつだろう。こうした国々が今、さまざまな先進的な施策によって世界を引っ張っている。

日本の行政のマイノリティ排除

対して、日本社会におけるジェンダーやマイノリティへの眼差しはどうだろうか?

唐突な全国一斉休校措置では、防疫上の是非はともかく、多くのシングルマザー／シングルファーザーが窮地に追い込まれた。臨時休校に伴って仕事を休んだ保護者には支援が発表されたが、風俗産業で働く女性らは当初、除外されていた。セックスワーカーにはシングルマザーも多く、貧困家庭のやむにやまれぬ選択肢として機能している例も少なくない。セックスワーカーの労働環境改善に取り組む団体「ＳＷＡＳＨ」はすぐさま見直しを求めたが（ちなみに台湾で同様の団体「日日春關懷互助協會」もすぐさま日本の厚生労働省に対して抗議声明を出した）、このことがあらわにしたのは、日本の行政における明らかな職業差別であり、マイノリティ排除である。収入が減少した家庭への支援も、二転三転して不安や不満を増幅させた。航空会社の客室乗務員が防護服の縫製を手伝うと言ったニュースは、時代錯誤的な女性差別を感じさせ、裁縫の専門職を軽んじていると非難された。

日本から聞こえてくる対策に共通して感じられるのは、生活者が抱えている恐怖や困難へ寄り添う想像力の欠如だ。この点で、台湾政府はまったく対照的である。毎日開かれる記者会見では、現状や見通しといったグランドデザインが分かりやすく示され、スピード感もある。先日台北のナイトクラブの従業員に感染者が見つかり、全てのナイトクラブやダンスホールが営業停止となったが、無条件で従業員への1〜3万台湾ドル（約3・5〜11万円）の緊急支援が営業停止から1週間のうちに発表された。現在の新規感染者ゼロがうまく続けば、6月からは順次規制を緩めるとの見込みも明示されている。ジェンダー平等教育への気配りも忘れない。例えば、配給のマスクがピンクで恥ずかしいという男子児童へ向けて、中央感染指揮センターの陳時中指揮官は記者会見で自らピンクのマスクをつけて登場し、「ピンクは素敵な色だよ」と語りかけた。想像力とはなにか？　それは「愛」にほかならないと、陳時中指揮官をはじめ台湾政府の日々の応対を見ていると改めて感じる。

台湾を排除する世界の問題点

蔡英文総統がＷＨＯのテドロス事務局長に語りかけた言葉の最後はとても示唆的だった。

「台湾が加入してこそ、ＷＨＯのパズルが完成すると私は信じています」

人や物が自由に行き来して作り上げられたグローバルな現代世界。物流も今のところは止まっていないようで、飛行機のカーゴや船のコンテナは日々世界をめぐる。そこにウイルスが付着して運ばれる可能性はないだろうか？　大型の船や石油タンカーも各国を行ったり来たりしているが、そこでダイヤモンド・プリンセス号のような船内感染が起こったりはしないのだろうか？

多くのものを輸入や輸出に頼っている台湾には、新たな困難のステージが待っている。つまり、どこかの国だけが封じ込めに成功しても、グローバルでの足並みがそろわなければ新型コロナの終息が見えない以上、台湾が多くの国際機関から排除された現状世界は、明らかに不完全で「完成しないパズル」である。

社会におけるマイノリティにも、同じことがいえる。マイノリティが社会福祉のセーフティネットからこぼれ落ちてしまったとき、そこからまた感染は広がるかもしれない。シンガポールでは封じ込めに成功していたところ、劣悪な環境で暮らさざるを得ない外国人労働者から再び感染が急激に広がった。今回のことで可視化されたのは、あらゆる人がクモの巣のようにつながりあって世界が構築されており、誰も「部外者」ではありえないことだ。排除によってマイノリティを落とし穴にしてはならない。台湾はあらん限りの力を使って、世界に向けてそのことを呼びかけているように思える。マイノリティは存在していて、それだけでもうすでに、かけがえのない世界の一員なのだ、と。

2020・4・30

10 まさかの時の友こそ、真の友
——日本のワクチン支援、台湾人を感動させたもうひとつの意味

ネットで日本航空809便を追跡！

「途中で邪魔が入るかもしれない。台北に到着するのをこの目で見るまでは安心できない」。前日にニュースでワクチン輸送が報じられてからも、何人かの台湾友人からそんな声を聞いた。

インターネット上で世界中の航空機の運航状況がリアルタイムで分かる「フライト・レーダー」というサイトがある。日本航空809便の動きを、このサイトでどれほど多くの台湾人（在日台湾人も含め）が固唾を飲んで見守っていたか。

2021年6月4日午後1時58分、桃園国際空港に日本から提供された約124万回分のアストラゼネカ製ワクチンが到着し、台湾中が喜びに沸いた。毎日午後2時からの中央感染症指揮センターの定例記者会見開始とほぼ同時の到着という最高のタイミングだった。航空機からワクチ

ンが運び出される様子が、リアルタイムで中継される。指揮センターの陳時中指揮官も、特別のフリップを用意して日本に謝意を伝えた。

飛行機の尾翼には赤い鶴。テレビに映る日本航空のシンボルマークを、こんなに頼もしい気持ちで見つめたことはなかった。実際コロナ禍が始まって以来、日本より届くニュースには少なからず失望させられてきた。それも相まって、余計に今回のスピード感をうれしい驚きで見つめた。わたしのフェイスブックは日本への感謝の言葉で「洗板《シーバン》」(タイムラインがひとつの話題でいっぱいになること) され、台北市にある日本台湾交流協会の事務所はワクチンに対する感謝の気持ちとして贈られた花であふれた。ストレートな感謝の言葉は思ったらすぐに行動に移すという、台湾人の気質によるものだろう。ただ、この喜びの影には複雑な背景がある。

政争の具になったワクチン

ここ最近の台湾ではワクチンが政争の具となり、飛び交う情報に多くの人が翻弄され、心を疲弊させていた。台湾は2020年、新型コロナウイルスの早期抑え込みに成功し「防疫の優等生」として一躍名を挙げた。蔡英文政権はこれを「台湾モデル」と名付け、台湾製マスクを海外に贈るなど「Taiwan Can Help」を合言葉に、その存在感を国際的に印象づけた。しかし実は、コロナ禍初期からワクチンの自主開発に力を入れてきた蔡政権にとって、国産ワクチンの完成こそが台湾モデルの最後の一手だった。医療従事者など高リスク層への対策は輸入ワクチンでしのぎつつ、国産ワクチンが完成すれば国民へ順次接種を開始して集団免疫を獲得する。これが「台湾モデル」と呼ばれる出口戦略のシナリオだったと、台湾事情に詳しいジャーナリストの野嶋剛氏は指摘している。多くの国際機関に加入できない台湾にとって、国産ワクチンの完成は悲願である。COVID-19は変異を繰り返しており、1シーズンの接種だけで対応できない可能性もある。自主開発できれば国際的なワクチン争奪戦から身を守るだけでなく、国際市場に打って出る機会だってあるかも知れない。ドイツからのワクチン購入失敗に際し、中国の介入があったことを蔡英文総統は明らかにした。国産ワクチンは台湾にとって盾であり、武器ともなる大切なものだ。

しかし、5月中旬に感染の広がりやすいイギリス変異型に防疫網を突破され、台湾モデルの出口戦略は大きく狂った。そこで始まったのが、ワクチン不足に対する野党の大ブーイングだ。弱みに付け込むように、中国も中国製ワクチンの提供を再度申し出るが、それを断った蔡英文政権は人命軽視との批判にさらされる。そのうち宗教団体や大企業が政府が買えないならば自分たちが買って提供すると名乗りをあげ、ワクチン問題は泥沼化。各メディアやSNSにさまざまな臆測、うわさ、暴言が飛び交った。陳時中氏率いる指揮センターに、葬式の花を送りつけたインフルエンサーもいた。

各地で陽性者が相次いで見つかり、多くの台湾人は戦々恐々として家にこもり、ストレスを抱えこんだ。日本からアストラゼネカ製のワクチンが届くかもとニュースになったとき、「日本で不要なものを台湾に押し付けるのか」との批判がなかった訳ではない。しかし多くの人が、一時のワクチン騒動のおかげで、アストラゼネカ製ワクチンで問題視される血栓の副反応は現時点で100万人に約2人という低い確率で、ファイザー製やモデルナ製でなくとも、重症化や死亡のリスクを防ぐプラス効果はじゅうぶんとの理解が進んでいた。日本からワクチンが届いたのは、そんな時だった。

国として認められない心細さ

ある友人は「知っている限りの日本人に礼を言いたい」と言い、LINEでは「日本台湾交流協会のフェイスブックにメッセージを書き込もう！　贈ってくれたワクチンと同じ124万個ぐらいの感謝を伝えよう！」とメッセージが回ってきた。わたしのフェイスブックにも、何十人もの台湾の方から「ありがとう日本！」のコメントが書き込まれた。実を言えば、これには少し申し訳ないような気がしないでもない。今回のワクチン提供でわたしが何か手伝った訳ではないし、日本人を代表するような立場でもなく、ただ「日本人」という属性を持っているだけだ。しかし、感謝の言葉を伝えずにおれない台湾の方々の気持ちも、痛いぐらい分かった。

先日、台湾政府の要職を長年務めた方にインタビューをした中で、「台湾人は自分に自信を持てないところがあって、コロナ対策で世界から肯定されたことは、台湾人に少なからず自信を与えたと思う」という話が印象に残った。それを台湾人の夫に伝えたところ、「自分の国が世界に存在しないような扱いを受ける、友好国はどんどん減っていく。台湾人のそういう心細さや哀しさは、経験したことのない人には分からないと思うよ」と返ってきた。この話から、昨年の防疫の成功で少しばかりの自負心を得ていた台湾人が、今回の感染爆発でどんなに気持ちを沈ませているか、ちょっとは想像してもらえるかもしれない。

大震災支援で台湾を「再発見」した日本

台湾は1971年に国連から締め出され、1972年には日本とも断交し、だんだんと世界の中で孤立を深めた。民主化以降もあらゆる場面で孤軍奮闘を強いられてきた。かつてSARSに見舞われた時も、WHOからリアルタイムで情報や支援を受け取ることはかなわなかった。中華人民共和国は、中華民国（台湾）を承認している国に圧力をかけ、国交断絶に追い込んでいる。わずかに残った友好国からは、今でも毎年のように断交の知らせが届く。わたしも執筆の仕事を始めて以来、友人たちからよく「台湾のことを日本に伝えてくれてありがとう」と感謝の言葉をもらってきたが、そのたびに台湾の人々の抱いてきた孤独の深さが感じられ、胸が締め付けられるようだった。

日本は戦前、50年ものあいだ台湾を植民地とし、非常に深い関係を持ってきた。にもかかわらず、日台断交以降は報道も少なくなり、台湾の存在は日本で長いこと忘れられた。2000年代に入っても、台湾がどこにあるのかおぼつかない日本人は少なくなく、「中国のどこか」や「タイ」と混同されることもあった。留学や旅行で日本に行った台湾人の多くは、日本人のそうした無知に出会ってもただ曖昧に笑うしかなく、それ以上の説明を諦めるのにも慣れた。しかし、2011年の東日本大震災への莫大な義援金をきっかけに、日本は台湾という温かな隣人を再発見した。それ以降、災害や事故といった出来事のたび、台湾と日本のあいだを寄せては返す波のように支援が行き交い、友情が深まっていく。台湾へ来る日本人観光客や留学生、台湾に関するテレビ番組や報道・出版も増え、歴史や文化への理解の深まりも感じられるようになっていた。

「台湾は孤独ではない」という実感

そして今回、そういう「感じ」だけではなく、確かにそうなのだ、台湾は孤独ではないのだ、困っている時には助けを差し伸べてくれる友人がいるのだと、多くの台湾人が実感したように見える。たくさんのメッセージには「まさかの時の友こそ、真の友（患難見真情）」と書かれていた。そんな喜びが、ワクチン以上に「心」を元気にしている。そう感じられ、台湾の家族や友人たちとともにこの出来事を喜び合えることをうれしく思う。そしてもうひとつ、感謝の言葉を送ってくれた台湾の皆さんに伝えたいことがある。確かに日台の歴史において、今回のワクチン支援はマイルストーンとなるだろう。しかしその道を切り拓いてきたのは、ほかならぬ台湾の人々の真心だとわたしは信じる。さまざまな文化の混じり合いと複雑な歴史の中で「自由、民主、多様性、寛容」という普遍的価値をつかみとり、悩みながらも前へ前へと進んでいく台湾だからこそ、国際社会は連帯し、一緒に歩みたいと願うのではないだろうか。まだ困難な道のりは続くだろうが、台湾に暮らす、台湾社会の一員としてわたしも一緒に乗り越えたい、そう思っている。

2021・6・16

11 台湾に関するフェイクニュースの見分け方と台湾理解

長らく台湾に住む日本人として、日本のニュースサイトに掲載される台湾の関連記事を見ながら違和感を抱き始めたのは、台湾で感染が拡大した2021年5月後半からだろう。「台湾のワクチン接種は周回遅れ」「現実的な漢族のDNA」「日本人の台湾幻想、妄想」といったネガティブな言葉を多用し、台湾のワクチン政策がうまくいっていないことを批判する記事が出始めた。さらには、「多くの台湾人がワクチンを求めて中国に殺到」「実は台湾人はアストラゼネカ製ワクチンをまったく歓迎していない」「在台日本人も中国製ワクチンを打ちたいと思っている」「漢人である台湾人は実はしたたかで信用できない」といった記事が目につくようになった。

「日本が送ったワクチンは毒」?

こうした記事のソースの多くが、いわゆる「中国寄り」「反与党政権」の台湾メディアという共通点もあった。記事中に例として取り上げられた日本人の意見もかなりの少数派と思うが、それが台湾全体のことのように語られているのを見て、怒るというより呆れてしまった。

台湾で感染が広がったのは突然だった。そのためワクチンを求める声は急激に高まり、それに見合うワクチン入手が遅れていることは確かで、それは政府のワクチン対策に問題がある。それに対する建設的な意見や議論ならばもちろん必要だ。とはいえ、さまざまな理由が重なってそうなってしまったのは、台湾で暮らしてニュースや中央感染指揮センターが連日行う会見を見ていれば何となく理解もできる。台湾は、ただでさえ多くの国際機関から排除され、国際社会のなか「ひとりぼっち」で頑張ってきたのだ。無条件に何でも仕方がないとかばうわけではないが、あまりにひどい書きっぷりではないか。

なにより、台湾についてそこまでネガティブに日本の読者に伝える目的は何だろう。筆者らの経歴を見るとメディアでの経験も多く、中国や台湾での駐在経験もあるようで、台湾事情にはかなり詳しそうだ。とくに2021年6月4日に日本から124万回分のアストラゼネカ製ワクチンが台湾へ到着した後の一連の報道には、日台双方で高まっていた友好ムードにわざと冷や水を浴びせようとするような記事が散見された。

中には、一見冷静に見せつつも、実態と異なることや根拠のないことをちりばめた悪意の塊のような文章が少なくない。しかも、「日本から台湾に送られたアストラゼネカ製ワクチンで大量死」「ワクチンを送った日本に対し反日感情が高まって台湾で暴動寸前」というきわめて扇情的な記事もあった。

台湾人で北海道大学法学研究科助教の許仁碩《シュ・レンスオ》氏は、これらの記事の論点や傾向を整理してどういった性格のものかを分析している。許氏は「今は日台関係が良いので影響も限定的だが、何かしら日台関係に摩擦があるときには、これらの論調が含む問題に日本人が気づけるかどうか」と指摘している。わたしもこれに同感で、日本読者の台湾リテラシーが試される危うさを感じ、この状況は楽観できず、こうした記事の目的を注視していかなければならないと考えた。

公式データでもわかるワクチンの有効性

こういった悪意を持ったネガティブな情報に対抗するために、台湾のこれまでの歴史や現在の立場についてもっと日本の方々に理解を深めてもらうのが効果的だと考え、わたしも「まさかの時の友こそ、真の友——日本のワクチン支援、台湾人を感動させたもうひとつの意味」という記事を書いた（P76)。台湾では２０２１年6月14、15日から、日本が提供したアストラゼネカ製ワクチンの接種が高齢者を対象に行われている。そして接種後に死亡が相次いでいるというニュースが流れ、接種を不安に思っている人も確かに少なくはない。ただこれは接種への不安を感じている人の多い日本やその他の国々と同じ状況だろう。中央感染指揮センターの陳時中指揮官はこれに対し、同じくアストラゼネカ製を承認している韓国やイギリス、アメリカと比較して台湾の死亡者が特別多いわけではないこと、死亡原因は追跡調査を行ってきちんと明らかにすること、ワクチン接種はリスクよりも有効性のほうが大きいことを強調した。さらに言えば、多少の不安感はあれども、それを日本のせいにする台湾人はめったにいない。不満の矛先を向けるのは台湾政府に対してであって、ましてや暴動寸前というのはひどいではないか。

一方で、新型コロナウイルスを原因とする死亡率は、台湾は突出して高い。介護施設でのクラスターや家庭内感染など高齢者への感染が広がっているためだ。だからこそ、高齢者への接種が一刻も早く望まれていたタイミングで到着したのが、日本が提供したアストラゼネカ製ワクチンだった。わたしの周辺でも、ご年配の多くが「接種ができて本当にホッとした、日本に感謝している」というのを聞いた。もちろん世界的に有効性が高いと言われるモデルナ製やファイザー製を接種したいと望む人も少なくない。とはいえ、日本からのワクチンが到着した後に、それまでアストラゼネカ製の悪口をさんざんテレビで言っていたメディア関係者や富裕層が、自主診療のクリニックへ配布された同社製ワクチンを抜け駆けしてこっそり打っていたことが明るみに出ている。

以上のような台湾の実状が日本に伝わることがないまま、「反日」「大量死」「暴動」というセンセーショナルなワードを並べた報道が日本のメディアでなされた。そのため、在台日本人の中には、「台湾で死者が相次いで対日感情が悪化しているんでしょ?」などと心配するメッセージを日本にいる家族から受け取った人もいる。

台湾政府は現在、フェイクニュースを捏造した人に高額な罰金を課している。また受け取ったフェイクニュースを誰かに流しただけでも罪に問われる。何をもってフェイクニュースとするかを政府という権力機関が判断できることには当然、議論の余地はあるだろう。しかし、台湾の人権団体が異議を唱えているのはあまり効果の上がらない高額な罰金や特定メディアへの攻撃といった「手段」であって、安全保障や公共福祉を脅かす大量のフェイクニュースに台湾がさらされているという問題は共有しており、解決手段として透明性ある情報公開を求めている。それほど切羽詰まった情報戦争の渦中にいるという自覚が台湾にはある。

台湾では情報ソースと目的に敏感

蔡英文政権に関するフェイクニュースがとてもひどかった2018年ごろ、わたし個人もフェイスブックで激しい攻撃を受けたことがある。こういった攻撃をするアカウントを台湾では「網軍」と呼ぶ。ネット軍隊とでも言えばいいだろうか。こうした「網軍」によってフェイクニュースが作られ、拡散され、世論が攪乱される。台湾政治は大まかに言えば、その支持・志向性によって二つの色に分かれる。中華人民共和国に融和的な「藍」陣営と、リベラル的な政治志向をもち台湾の主体性を志向する「緑」陣営（現在の与党・民主進歩党も緑）だが、「網軍」はどちらにも存在する。つまり、台湾では日々熾烈な情報戦が双方で繰り広げられているということだ。

フェイクニュース規制法の施行後、情報戦はさらに巧妙になった。こうしたことが日常的な台湾では、少なくない人が情報リテラシーに敏感だ。また、メディア側もその報道姿勢が「藍」か「緑」に分かれ、そのソースがどこのメディアかで信憑性を各個人が判断する。「藍」側のメディアには多くの中国資本が入っているとも言われる。このような事情から、台湾で暮らした経験があったり、長いあいだ台湾に興味を持ってきた日本人は、台湾に関する記事がどのような目的を持っているかをある程度は判断できるだろう。しかし台湾への関心がこの数年、急激に高まってきたなかで、そういった台湾に関するメディアリテラシーを日本人の多くは持っていない。

台湾に関心がそれほどなかった時代であれば、前述したような記事の影響はごく限定的だったかもしれない。だが、とくに2020年になってコロナ対策でオードリー・タンなど台湾人に注目が集まり、タピオカに続き台湾パイナップルがブームとなるなど日本における台湾への関心が強まっている現在、フェイクニュースでさえこれほど広がるというのは台湾情報の価値が高まったからとも言える。そう考えれば少し皮肉ではあるが、このことは一つの必要性を示している。つまりデマやフェイクニュースに惑わされず日台友好という関係をきちんと機能させていくためには、現状を知るだけでなく歴史や地理、社会政治といったさまざまな角度からの台湾理解を進めながら情報を判断するのが重要ということだ。

台湾の在日大使館にあたる台北駐日経済文化代表処の謝長廷《しゃちょうてい》代表は自身のフェイスブックで、「日本提供のワクチンに対する行きすぎたバッシングは、以降の日本からのワクチン支援に影響する」と投稿した。これは台湾の一部の人々に向けたコメントだが、同時に日本に対しても同じことが当てはまる。

事実に基づかない記事を多くの日本人が信じた結果、日本世論は「もう台湾にワクチンを送るのは遠慮しよう」という流れに発展するかもしれない。一つの記事が作り出したデマが、多くの台湾人の感謝の気持ちを踏みにじり、生命に影響をもたらす事態になるといっても過言ではない。

フェイクニュースは実に巧妙に作られる。すべてがウソというわけでもない。しかし、かなり極端な「ホント」を拡大し、そのうえで虚実取り混ぜて作成される。さらに、「安倍晋三前首相が主導」といった政治家の名前を入れることで、政治志向を異にする人たちの関心を引き寄せる状況も見られた。そういった一部の人たちにとり、こうした台湾情報は現政権を攻撃できる材料でしかないように思える。また、「日本で使っていないアストラゼネカ製ワクチンを提供するのは申し訳ない」という、多くの日本人がどことなく持っていた後ろめたさを利用したことは卑劣のひと言に尽きる。

「台湾は親日だから好き」「敵の敵は味方」といった考えも危うい。台湾はかつて日本の植民地であり、歴史的にも政治的にも、そして心理的にも解決されていない問題は実はまだ残っている。さまざまなバックグラウンドを持つ人で構成される多様社会であり、日本に関心がない、またはよく思っていない人ももちろんいる。「親日だから、そうした不満を言わないはず」という決めつけは公平な相互理解を妨げる。

互いに問題点をしっかり指摘し合い、解決をともに探ることができ、ともに明るい未来を目指す「真の友情」を求めるのであれば、どんなデマやフェイクニュースにも惑わされない、強い結びつきが必要とされる。悪意のある情報やデマは「ウイルス」であり、本物のウイルスと同じく素早く伝播し、人の命を奪うことさえある。そして手を変え品を変えこれからも次々と現れるだろう。それに対抗するためにはお互いにきちんと知っていく、正確な情報や多角的な理解の深まりこそが「ワクチン」なのではないだろうか。

2021・6・24

ジェンダー

12

台湾からみえた日本の「女人禁制」問題

第三代台湾総督で「軍神」と呼ばれた乃木希典の母親・寿子《ひさこ》は、息子と共に台湾へおもむく際に「台湾の女子は幼いころから纏足を強いられていると聞く。私は、その足を自由にしてあげたいのです」と語り、明治天皇を感激させたとの逸話が残っている。

乃木希典が母と妻を携えて台湾に渡ってから、およそ１２０年の歳月が流れた。今や台湾では女性が総統となり、現内閣にはトランスジェンダー当事者もいる。夫婦別姓はもとより、国会議員や公務員、銀行、企業の要職を占める女性の割合も高く、国の男女間格差を数値化した２０２０年のジェンダーギャップ指数（ＧＧＩ）において、台湾は世界で29位相当、１２１位の日本と大きく差をつけた。客観的な数値をみても日台のジェンダーギャップの差は明らかだが、実際にわたしが生活の中でみつけた違いを考えてみたい。

他人に寛容な台湾社会

とあるSNSのプロフィール写真に、比較的アップに映った自撮り写真を使ったところ、とある知人の日本人男性から「自分の顔のアップを公開するなんて、よく恥ずかしくないね」と言われて驚いた。少なくとも、台湾でそんな余計なお世話を言いそうな友人知人が思い当たらない。

基本的に台湾人は他人に対して当人が楽しければそれでいいと思っているし、恥ずかしいかどうかは当人次第で他人がとやかく言うことではないという傾向がある（逆に相手が身内だと過干渉になりがちではあるが）。先日62歳の台湾人女性が自然分娩で子供を出産した、というニュースが報道されたときも、台湾では当初「すごい」「おめでとう」という単純なお祝いムードが多数を占めたのに対し、日本のヤフーニュースのコメント欄には「母親がそんな歳では生まれた子供が可哀そう」「無責任」「無神経」という言葉が延々と並んだ。

この件は、生命倫理や商業主義などの観点から後になって台湾社会でも問題化したが、生まれた子供が不幸で可哀そうと最初から決めつけている日本人が多いことに驚いた。親とはこうあるべき、こうあってこそ幸せ、という信念のようなもの。気持ちは分からなくもないが、経済も事情も人それぞれで、高齢出産＝子供が可哀そうというのはあまりに紋切り型な気がしてしまう。

しかしこの紋切り型の網は、現代日本人の生活全体に張り巡らされている。

それほど歓迎されない「女子力の高さ」

こと女性に関して、この網はさらに入り組んでいる。わたしも昔、日本の職場の上司から「手鏡ちょっと貸せよ、お前も女なんだから鏡ぐらい持ち歩いてるよな」と言われたことがあるし、化粧の仕方から立ち居振る舞いや気づかいにいたるまで、女性として「こうあるべき」との要求はまことに多い。また女性自身も、振り分けられた役割を無自覚かつ無批判のうちに受け入れるどころか、まわりにも同じように押し付けたり強化したりする傾向があるようで、網は二重三重の複雑さを帯びている。

台湾に来て間もないころ、こんなことがあった。カフェの店員さんに「先生《シェンスン》（男性を呼ぶときの敬称）」と声をかけようとすると、台湾人の家人にたしなめられた。「ちょっと！　あれ女の子だよ」——髪を短く刈り上げ、化粧はせず、恰好も振る舞いもいかにも男の子という感じ。言われてみれば少し線の細い感じはするが、何しろ男性と思い込んでいたわたしはぎょっとした。

それ以降、台北の街のいたるところにそういったボーイッシュ（英語でいえば「tomboy」）な女の子たちが居ることに気がつき、自分のなかに巣食う固定観念（ジェンダーステレオタイプ）にハッとさせられたものだ。化粧しなくても、してもいい。セクシーなスタイルが好きな女の子もいるし、ミニスカートを履いて溌剌と歩く還暦を越えた女性だってたくさんいる。ここの女性たちは「年甲斐もなく」や「女の子なんだから」「わきまえる」という言葉とは無縁だ。

料理や家事に長けているとか、もてなし上手といった「女子力が高い」ことも、台湾では日本ほどに歓迎されない。逆にお嫁に行った先で良いように使われるから不要とか、経済的に余裕があれば外食やハウスキーパーを雇うことで補うことが可能という考え方さえあり、美点として数えられることは少ない。日本で成長するなかでそういうものだと思いこんでいたが、台湾にきてそうでもないなと気づいたことは、他にも挙げればキリがない。

「相撲の女人禁制」はいっそのことルールにしてしまえばよい

ものごとには長短があり、日本に帰った時に素晴らしいと感じる文化や伝統の後ろに、それを支えてきた「美徳」「謙虚さ」と呼ばれる暗黙の了解や仕組みが存在することは承知しているし、それらをすべて否定したい訳ではない。また、台湾の在り方を全面的に礼賛する気もない。

しかし「こうあるべき」を取り払って思考を巡らせれば、最近とみに話題となっている相撲の女人禁制問題についても見えてくることがある。「相撲は神事であり、女人禁制は伝統」という根拠についてだが、相撲が初めて史書に登場するのは采女による女相撲であったという研究もあり、古来からの伝統だと思い込んでいた女人禁制が、たかだか100年ちょっとの歴史しかないことも明らかになっている。

そうした歴史認識を踏まえ、神事だ伝統だというのはやめて、いっそのこと「現在の相撲とは、つまり明治期以降に女性を排除することで権威付けを狙ったスポーツゲームなのです」と開き直ればどうだろう。

ならば、女性が救助のために土俵に上がることもゲームにおける緊急事態という例外だから、「伝統だから土俵から降りろ」なんて放送してしまう思考停止は起こらないし、宝塚市長が土俵に上がりたいというのも「一応、女性は上がれないというルールのゲームですので」ということで処理できる。女性相撲リーグを設立するかどうかは、それから議論すればいい。[*1]

日本人女性が今も履き続けている「目に見えない纏足」

「そういうもの」「伝統だから」といった思い込みという名の目に見えない纏足を、日本人女性は今も履き続けている。そのことの評価はさておき、ここで思考停止することが女性の社会進出を大きく阻んでいるのは数値が示している通りだ。実際に台湾も昔からこうだったわけではなく、合理的に前向きに取り組んで来た結果として現在の姿がある。

台湾に渡った乃木大将の御母堂は、結局マラリアを患ってわずか二カ月後に亡くなったが、自分が助けに行こうと思った台湾女性に対して大きく立ち遅れている日本の現状を、草葉の陰でどう感じていることだろう。

2018・4・16

＊1　2018年4月、京都府舞鶴市での巡業で、救命のため土俵に上がった女性に「下りてください」と若手行司が促した不適切な対応がきっかけで、大相撲で女性を土俵に上げない「女人禁制」の是非について議論が起こった問題。その後、兵庫県宝塚市の女性市長が、巡業で男性と同じく土俵に立ってあいさつをしたいと要望した際、協会は「伝統」を理由に断っている。

13 台湾LGBTQ映画からみる多様性という未来

『アリフ、ザ・プリン（セ）ス』が投げかけたもの

２０１７年公開の『阿莉芙《アリフ》』という台湾映画（日本での公開タイトルは『アリフ、ザ・プリン（セ）ス』）がある。英語のタイトルは『Alifu, the Prince/ss』。「プリン（セ）ス」という言葉が示す通り、台湾原住民族のパイワン族の村の王子として生まれた「阿利夫」が、性適合手術を受けた後「阿莉芙」という名の王女として村の長を引き継ぐ話だ。異性愛に基づく夫婦形態や原住民族社会の伝統的規範を通してＬＧＢＴＱの当事者たちが葛藤するストーリーだが、とくにラストに驚いた。

レズビアンである親友が阿莉芙に恋をしたことから、「友人＝レズビアン」と「阿莉芙＝身体性が男性のトランスジェンダー（性適合手術前）」の偶発的なセックスによって子供が生まれる。

誕生した子供が産みの母と共に、もう一人の母親（阿莉芙）に会いに行くところで映画は終わる。ジェンダー／セクシュアルアイデンティティーを軸に現象を対称的に二転三転させることで、ステレオタイプから登場人物を逸脱させ、ない交ぜになった「揺らぎ」の中に個々人の夢をすくい取ろうとする。作中で出てくる性暴力への無批判さなどいくつかの問題点が指摘されているとはいえ、ジェンダー問題や原住民というエスニックマイノリティに意欲的に取り組んだ作品として、数々の国際映画祭でも上映された。

来台中の知人との間でも、この映画が話題に上った。知人は、日本で在日外国人やＬＧＢＴＱなど社会的マイノリティ問題に取り組んでいる弁護士だが、台湾への飛行機の中で何気なく選んだ映画が『阿莉芙』で、この映画に見られる多様性の受容という面で台湾は世界でもまれにみる先進性を持っているのではないか、と感嘆した様子だった。

台湾社会の現実を描く

２０１７年に出された「同性婚を認めないのは違憲」とする台湾の大法官の憲法解釈は、国連に加盟できずとも台湾が「立憲民主」に支えられた先進的な独立国家であるという印象を強烈に国際社会にアピールした。しかしそれ以前より、ＬＧＢＴＱをテーマとした映画は、台湾で数多く製作されてきた。ＬＧＢＴＱを題材にした台湾映画がなぜ多いのか。それは１９６０年代にアメリカのフェミニズム運動の中で生まれた、個人の問題を拡大すればそのまま社会の問題へつながる「Personal is Political」（個人的なことは政治的なこと）という言葉と無関係ではないだろう。人の営みの中で最もパーソナルな事柄である性、とりわけセクシュアルマイノリティ（性的少数者）の悩みやアイデンティティーを通して、台湾社会の現実やひずみを描きだそうとしたのが台湾のＬＧＢＴＱ映画である。

日本では、同じようなアプローチをしている映画監督に『ハッシュ！』（２００１年）『恋人たち』（２０１５年）を撮り、自身もゲイであることをカミングアウトしている橋口亮輔監督が挙げられるが、日本でセクシュアルアイデンティティーの要素を扱った作品は少なくないにもかかわらず、それを通して大きく社会を捉えたものは多くないように思う。現在、よくメディアに取り上げられるようになったＬＧＢＴＱの人権問題についても「そっとしておいてほしい」という当事者の声さえ聞かれる日本では、性的なことはあくまでも個人的なこととしてあえて問題化しない傾向がある。

名作誕生の背景には性とアイデンティティーが存在

台湾出身で世界的に活躍するアン・リー（李安）監督も、『ウェディング・バンケット』（1993年）『ブロークバック・マウンテン』（2005年）など、性的多様性を扱った名作を世に送り出している。『ウェディング・バンケット』は、LGBTQ映画の古典ともいえる作品だが、アメリカに移住した台湾出身のゲイの青年が、保守的な華人社会とアメリカ社会との間で惑うという、コメディータッチながらもシリアスな人間ドラマだ。また映画『ラスト・コーション』（2007年）は、LGBTQ映画枠とは言えないが、第二次世界大戦中の香港と上海を舞台に、国と国とのパワーバランスや暴力を最もパーソナルな行為であるセックスに投影し、個人と国家の間に横たわる愛情とゆがみを描き出したという意味で、まさに「Personal is Political」の構造を持った作品と言えるだろう。

アン・リー自身はインタビューで「現実の世界では、私は生涯よそ者である。どこが家なのか、私は他の人のようにはっきりとどこかに帰属することができない。台湾では私は外省人であり、アメリカでは外国人、中国では台湾同胞である。自分では致し方ないものであるが、また自己の選択でもあり、運命が決めたことでもある。私は一生よそ者であるしかないのだ」[*1]と語っているが、「故郷がない」と感じるアイデンティティーの問題に、歴史に翻弄《ほんろう》されてきた台湾社会はさまざまな形で向き合ってきた。

台湾を代表する文学者の白先勇《バイ・シェンヨウ》も、アン・リーと同じく戦後に中国から移民してきたエスニシティに属しているが、代表作の一つである『孽子《ニエズ》（Crystal Boys）』は1986年に映画化、2003年にテレビドラマ化され、性とアイデンティティーの間に揺れる青年と1970年代の台湾戒厳令下におけるゲイ社会の模様を緻密に描写した。マレーシア出身の蔡明亮《ツァイ・ミンリャン》監督もゲイであることを公言しているが、作品にセクシュアルアイデンティティーの問題を盛り込みつつ、都会に暮らす人々の孤独を描き国際的な評価が高い。

映画界が衰退するも、新たな作品が続々誕生

2000年前後には製作される作品数が大幅に減り、台湾映画界は一度、大きく力を失った時期もあった。しかしその後、民主化の浸透と中台関係への危機感から急速に盛り上がった「台湾アイデンティティー（台湾本土意識）」に呼応するかのように、日本時代を台湾の歴史の一部として描いた『海角七号　君想う、国境の南』（2008年）が誕生。これを大きな転機として、以後作られた台湾ローカル色の強い作品の中には、優れたLGBTQ作品も多く存在する。

2012年に公開された『GF＊BF』は、1990年の民主運動・野百合学生運動を背景に1人の女性と2人の男性の友情と恋愛を描き大きなヒットとなった。また、『酔・生夢死』（2015年）や『満月酒』（2015年）『日常対話』（2017年）『自画像』（2017年）など話題作が次々と登場する中、冒頭に挙げた『阿莉芙』はLGBTQ×アイデンティティーをテーマにした台湾映画が、またひとつ新たな局面に入ったことを世界に示したと言えるだろう。しかし一方で、伝統的・保守的な考え方が堅固に存在する台湾社会において、宗教的な理由や保守派層による同性婚反対の声も高まっており、同性婚合法化に反対する「公投」（日本でいう国民投票）の開催が呼びかけられるなど、社会的な分断も進んでいる。

多様性と寛容の共存が描く未来的美しさ

国家アイデンティティーとは多くの場合、突き詰めるほど排他的になっていく。日本の場合も国学の発達から、明治期には日本アイデンティティーを持つ国民が形成されたが、後には他民族への同化の働きかけを強め、その波は朝鮮・台湾まで及んだ。近年では再び右傾化により、在日外国人へのヘイトスピーチが社会問題にもなっている。しかし台湾における台湾アイデンティティーの深まりを見ていると、日本とは真逆の現象が起きているように感じる。それは原住民、スペイン・オランダ、明・鄭、清、日本、中華民国という、台湾の今日までの歴史の内在化であり、台湾が台湾らしくあろうとするほど、玉手箱のようにさまざまなエスニシティの共存する多様性をはらんでいること、それが映画『阿莉芙』や同性婚合憲解釈が生まれる土壌になっている。台湾が内包するのは、多様性と寛容とが共存することで描き得る未来的な美しさである。それがいま日本人をはじめ、多くの外国人を惹きつけるゆえんではないかと思う。

２０１８・６・３

＊１　張小虹「愛の不可能な任務について〜映画『ラスト・コーション』に描かれた性・政治・歴史」（『台湾文化表象の現在』あるむ）。

14 「同性婚反対」に傾いた台湾社会の矛盾

2018年11月23日の夜、台北市のランドマーク101ビルに光り輝いていた「記得投票（投票を忘れずに）」「公民權益（国民の権利と利益）」という文字をまぶしく見上げた。1987年の戒厳令解除以降に民主化が進んだ台湾では、自分たちが台湾の未来を決めるという当事者意識が高く、自分の一票を行使するため海外からわざわざ帰省する台湾人も少なくない。今回行われた「107年地方公職人員選舉」は通称「九合一選挙」と呼ばれ、全国の県市町村における首長から県・市会議員・町内会長までを決める、日本における統一地方選にあたる。

11月24日の投票日には、朝から投票所にたくさんの行列ができ、いつもながら民主に対する台湾の人々の意識の高さを感じさせた。激烈な接戦となり翌日未明にまで当確がもつれこんだ台北市長選以外は当日中に開票を終え、与党・民進党の惨敗が明らかになったが、もうひとつ九合一選挙で注目されていたのが公民（国民）投票である。

2017年の公投法改正で発案のハードルが大幅に引き下げられた結果、10項目もの案が乱立した。我が家にも家人の投票用紙が届いた際、その稀にみる分厚さに驚いたものだが、これらが投票行為を煩雑にし、どの投票所も平均して1～2時間もの待ち時間となった。そうした予想外の状況においても、投票率は66・11％と依然として高かった。

「同性婚」をめぐる5つの投票項目

まず10項目にも及ぶ公民投票案はいかなる内容で、どういった投票結果であったかを簡単に説明する。野党・国民党などから提出された近年の大気汚染や食品安全の問題に関する4つの提議は以下の通り。（資料：中央選挙委員会）

第7案　火力発電所を減らす
第8案　火力発電所の新しい建設に反対する
第9案　脱原発法を廃止する
第15案　日本の福島を含む近郊5県からの食品輸入禁止の継続

この4つは全て同意多数で通過した。また、2020年の東京オリンピックで台湾がこれまでの「チャイニーズ・タイペイ」ではなく「台湾／TAIWAN」という正式名称で参加するという提議（第13案）については、出場停止などのリスクを恐れた運動選手たちの「不同意」への呼びかけも選挙前に行われ、10％の差で未通過となった。

台湾では、2017年5月に「同性婚を認めないのは違憲」とする台湾の大法官の憲法解釈が出された。東アジアで初めて同性婚が法的に認められた台湾社会は、その先進性を国際的に大いにアピールしたものの、これに異を唱えたのがキリスト教系団体などが保守勢力と連携した「下一代幸福連盟」である。

下一代幸福連盟によって提出された公投案は以下の3つ。

第10案　婚姻の提議…民法による婚姻の組み合わせは、一男一女に限る
第11案　義務教育（小学校及び中学校）においてLGBTについての教育を行わない
第12案　民法の規定以外に特別法を制定し、同性同士のパートナーシップ権益を守る

今回の公民投票は、この3つ全てにおいて「同意」票が「不同意」を大きく上回り通過した。クセモノなのは、この第12案である。これは、本来ならば憲法解釈から2年後にあたる2019年の5月以降は自動的に、民法によって「婚姻の自由とその権利」が同性同士にも平等に適用される予定を、特別法の制定によってなし崩しにしようというものだ。結婚に関する法律で一番強力なのが民法であるため、子供の養育や遺産相続について問題が起こった場合、特別法の内容如何によっては当事者の権利が必ずしも平等に行使されるとは限らなくなってしまう。

公民投票が行われる前後で、ゲイの当事者のとある知人は、セクシャリティーのために中学校の時に受けた強烈なイジメ体験を思い出したことをSNS上で吐露していた。また反対派の家族の無理解に絶望し、「同性愛者の結婚はエイズを蔓延らせ、国は滅びる」などの差別的デマを投げつけられ自殺を図った当事者は100人をうわまわったという。

一方で、同性婚反対派に対抗する形でLGBT人権団体より提出されたのは以下の2つ。

第14案　民法により、性別にかかわらず婚姻関係を保証する

第15案　義務教育の各段階に見合ったジェンダー・LGBT・性教育を実施する

この2案については、340万前後の同意票を700万弱の不同意票が上回った。つまり今回の公民投票は、現・蔡英文政権がこの2年のあいだに進めてきた「脱原発」「婚姻平等」「独立主権」というリベラル的な方向性すべてにNOを突き付ける結果となった。

台湾社会が抱える矛盾とほころび

台湾社会は外国人からすると一見、とても進歩的かつ開放的に見えるが、特に家庭観念に関しては驚くほど頑迷で保守的なところがある。台湾の民主化運動を長年支えてきたキリスト教プロテスタントの長老派教会はグリーン陣営（＝与党・民進党の支持層）を構成するメインのひとつだが、そうしたキリスト教系団体等の資金力を背景として行われたらしい強力な同性婚へのネガティブキャンペーンは、選挙前のテレビ番組やCM・SNSを通じて多くの台湾人を巻き込んだ。わたしのLINEにもグリーン陣営の年配の知人から公民投票で、「反同性婚」「反LGBT教育」「オリンピック正名推進」に同意するようにという内容が選挙前に流れてきた。これは公民投票の数字にも表れており、オリンピック正名参加を問うた第13案については476万の同意票が集まったにもかかわらず、同性婚に同意したのは338万票だった。

つまり、この差140万人は少なくとも、国際的にマイノリティである台湾の在り方に不公平を唱えながらも、台湾社会のなかのマイノリティに対する不公平については疑問を感じていないことになる。今回の公民投票で明らかにされたのは、台湾の主権・伝統的価値観・経済発展への展望をめぐって台湾社会が抱える矛盾やほころびであった。

もうひとつ問題なのは、反対派が提出した第10／11／12案が公投に掛けられた、それ自体が違憲行為であることだ。大法官の憲法解釈では、世界精神医学会やWHOなどの立場表明に基づいて、セクシャルマイノリティが異性愛者と同じく結婚についても平等の権利を擁することを示している。

「公民投票」という多数の力に拠って、憲法で守られたマイノリティの人権を奪うことは民主主義のはき違えであり、憲法のもとに構成された立憲民主制を採択している台湾の価値を大きく損なう。これは提案を認めた現・蔡政権の問題でもあり、今後の公民投票、また特別法の制定の際にもよくよく吟味される必要があるだろう。

しかしまた、悪いことばかりだったとは思わない。台湾社会の保守性を間近に見ながら外国人として暮らしている身から見れば、公民投票が可視化した、同性婚へ賛意を示した3分の1の投票者は決して少ない数ではない。投票日の2日前に公開された台湾の老舗醤油メーカー「金蘭醤油」のCMは、子供のいるレズビアンのカップルによる温かい家庭風景を描き、同性婚を支持する立場をつたえ、作品の質の高さも相まって話題となった。保守的な消費層が少なくないと思われる老舗の食品メーカーがこうした表明をするのは異例だ。加えて、今年はじめて公民投票に参加した18歳の若者への模擬投票では賛成派が過半数を大きく上回っていた。

小さなろうそくの炎も消えさえしなければ、いずれは大きな氷でも溶かす。あちらこちらに変わりゆこうとする等身大の台湾社会を垣間見て、台湾の未来をまた一層考えさせられた。台湾セクシャルマイノリティ人権運動の第一人者である祁家威《チー・ジャーウェイ》は、選挙後のインタビューでこう答えている。

「30年前に運動を始めたときは、支持してくれる人々がこんなに増えるなんて思いもしなかった」「若い仲間たち、だから決して命を粗末にしないで。未来はきっとよくなるから」

2018・11・30

15 バラの少年少女たちへ
――台湾、同性婚法制化への道のり

「ことしパートナーと結婚式を挙げるから、ひかりさん出席してくれる？」

台湾人の友人に先日こう聞かれ、飛び上がって手を叩きたいぐらい嬉しかった。彼女はレズビアンの当事者で、台湾のＬＧＢＴＱ事情について考えるときいつも相談にのってくれる親友だ。それでもここ数カ月は、本当に無事に同性婚法制化が進むのかヒヤヒヤしてもいた。非常に保守的な側面もある台湾社会のなかで、同性婚に反対する人の少なくないことが昨年の国民投票で可視化されてしまったからだ。

「アジア初」の快挙

２０１７年の5月24日にでた「同性婚を認めないのは違憲」とする台湾大法官の憲法解釈によって2年後、つまり今月の5月24日から民法もしくは特別法によって同性同士の婚姻が認められることとなった。しかし前年11月の公民（国民）投票において、同性婚を支持しない民意が支持者を上回ったことを受け、特別法案が作られる運びとなる。立法に向けて準備されていた草案は3つ。1案は行政院（内閣）の作成したもので民法にもっとも近い平等性を保障するが、その他2案はキリスト教系団体などからなる同性婚反対派の作成で、権利や保障内容はより限定的となっていた。

それが、２０１９年5月17日の立法院（国会にあたる）での審議によって、27条ある項目すべてにおいて現政権の出した法案が通過した。つまり台湾は名実ともに異性婚に近い形で同性婚のできるアジア初の国家となったのだ（とはいえ、外国人との結婚などはまだ平等とはいえないが）。わたしも立法院そばで行われた支持者らによる集会に行ったが、涙を流してみんなが喜びあう姿をみて思わずもらい泣きしてしまった。

こうして、アジアでもっとも先進的な人権と平等性のありかたを世界に見せた台湾。縁あって長年暮らしているひとりとして心より誇らしく思った。

イジメの犠牲となった「バラの少年」とは

ここに至るまでの道のりが平坦だったわけでは、もちろんない。その陰にある多くの犠牲のうえに積み上げられた大きな一歩だ。例えば「バラの少年」（玫瑰少年）と名付けられた、屏東県の中学生・葉永鋕《イエ・ヨンツ》さんがいる。葉さんは学校で「女の子っぽい」という理由で長年激しいイジメを受けており、ある日、授業中の学校のトイレで血の海のなかに浮かんで変死していた。2000年のことだった。

この事件を受けて台湾では、2004年より性的気質や性的指向を尊重する性別平等教育法が施行され、「生物学的性別による平等思想だけでは問題が残ることを世に知らしめ」「同性愛などの性的マイノリティについても言及するようになった」[*1]ことで、日本に比べてはるかに高いジェンダー平等性を実現するにいたった。

この葉永鋕さんの記憶は、今回の同性婚をめぐる動きのなか新たな意義をもって思い返された。例えば台湾の歌手ジョリン・ツァイ（蔡依林）は公民投票のあとに『玫瑰少年』という新曲を発表した。

MVでは黒いスーツをまとったダンサーたちの中で、たったひとり黄色いスーツ姿のジョリンだけが異質だが、曲が進むにつれ皆がスーツを脱ぎ捨て思い思いのスタイルに変化していく。

映像や歌の端々に固定概念を脱ぎ捨て、自分と違う他者を尊重しようというメッセージが込められているが、これは葉永鋕さんに手向けられたと同時に、他人との違いに苦しむ思春期の少年少女すべてを勇気づけるための曲でもある。実際、2018年の国民投票で同性婚が否決された後にも、少なくない数の若者が自らを社会に否定されたと感じて命を絶った。2019年にも、セクシャリティが原因でイジメに悩んでいた高校生が建物上階より飛び降り、一命は取り留めたものの両足を複雑骨折して後遺症が残るかもしれないという報道があった。

もう誰も失ってはいけない

性的マイノリティの苦しみを他人ごとではなく「自分ごと」として考えようという動きも、台湾で活発化している。2018年の秋には台北市内のある小学校で『穿裙子的男孩』（スカートをはいた少年）というイギリスの児童書の翻訳版（原題：The Boy in the Dress）が、「学校図書として相応しくない」と保護者からクレームがつき図書館より排除された。それに対し、同校の男性の校長がスカートを穿いて朝の校門で生徒たちを迎え、「違いを尊ぶ大切さ」を伝えたニュースは話題となった。

新北市板橋の高校の「スカート隊」も注目を集めた。同性婚法制化について関心をうながしジェンダーの固定観念に抗うため、学校の創立記念週間に合わせて男子学生や男性の先生がスカートを穿いたのである。合わせて作られた動画で学生たちは「誰もが自分らしくいられる」社会について考え、性的気質を原因とするイジメで「もう誰も失ってはいけない」とメッセージを発している。

日本では、こうした個人の動きが大きな社会運動や連帯につらなっていく現象は、台湾に比べると少ないように思う。自己責任という言葉がはびこる近年、マイノリティの人権問題について物申せば「活動家」「アクティビスト」など何かしら異質なものとして排除しようとする言説も多く、マジョリティと異なる声をあげるハードルはどんどん高くなっている。それに対して台湾では、ひとりでまず何ができるかという自分サイズで、個人それぞれが考えて行動しているように見える。他の人にどう見えるかは問題視しない。時として近視眼的で客観性がないようにも思えるが、「とりあえず、このままではだめだ」という確かな身体感覚が伝わってきて、その切迫感への共感が連帯につながっているようだ。

山の湧き水が集まった細い流れが、やがて大きな河となる。

1980年代から起こった台湾の性的マイノリティ運動が、小さくとも切実な行動を積み重ねたすえに大河となったのが今回の同性婚法制化だろう。台湾が見せた受容のあり方は台湾のみならず、日本やその他アジアの国々でひとり苦しみを抱え込んでいる、とくに思春期にある性的マイノリティを大きく勇気づけるに違いない。

やまない雨はない。朝から土砂降りだった台北の空も、法案が続々と通過しはじめた午後には太陽が顔をだし、祝福するような光が街に降り注いだ。ずっとこの日を待っていたみんな、本当におめでとう。一日もはやく日本が台湾の後につづくよう心より願っている。

2019・5・18

＊1　劉靈均「第30章・性的マイノリティ運動」（赤松美和子・若松大祐編著『台湾を知るための60章』明石書店）

同性婚法制化の後、同性婚を認めていない外国人と台湾人との同性婚について何組ものカップルが裁判を起こし、個別に勝訴が続いた。そして2023年1月、相手の国が同性婚を認めていない場合でも台湾での同性婚が認められる通達が出された（この時点では相手が中国籍の場合のみ法的および政治的な理由により除外されている）。

16 日本人女優を起用した台湾のコンドーム広告に違和感を抱いた理由

近所のスーパーで買い物をしていたとき、レジ近くで気になるものを見つけて立ち止まった。英国発で、世界的シェアを持つ「デュレックス（Durex）」のコンドームが棚に並び、その上には近年台湾で活躍している日本人女優の大久保麻梨子氏が、肩を出した白いドレスを着てコンドームの箱を片手にほほ笑み、「本物の感触で解いてあげる」という意味のキャッチコピーがその横に添えられている。大久保氏は元々、日本のグラビアアイドルとしてデビューしたが、現在は台湾で活躍する俳優で、２０１７年初旬に台湾人男性と国際結婚した。わたしも同じく台湾人男性と国際結婚したので大久保氏の活躍をいつもうれしく見ているし、ずっと応援している。それだけに、この広告を見て感じた違和感を整理したい。

台湾人にとっての重層的な意味合いを持つ「日本女性」

台湾における「日本女性」は、重層的な意味合いを持つ存在である。第一に、かつて台湾の名門と呼ばれる家や富裕層には日本人が嫁いだ例は多かった。理由は、戦前に日本統治下にあった台湾で富裕層の子弟は日本へ留学することが多く、その際に出会った日本人を結婚相手として迎え入れてきたため、「日本女性は淑女」というイメージができ上がった。実際、２０１７年に華人世界のアカデミー賞と呼ばれる金馬奨《ジンマージャン》で賞を総なめにし、興行的にも成功した話題作『血観音』の中で、台湾人銀行家の品の良い日本人妻を同じく大久保氏が演じている。

第二に、料理や家事に長け静かで夫に尽くす服従的なイメージがある。わたしも台湾人の知人から「夫がお酒を飲んで遅くに帰ってきたら、日本人女性は必ず夜食を作ってあげるって本当？」「お風呂で必ず夫の背中を流してあげるって本当？」と真顔で聞かれたことが何度もある。

第三に、台湾人男性の多くが日本人女性と聞いてまず思い浮かべることにアダルトビデオがある。台湾では基本的にアダルトビデオの発売や上映は法律で禁止されているが、その代わり日本からの海賊版が大量に出回っている。台湾人男性が成長過程で性的コンテンツに興味を持つようになったころ、最初に出会うのが日本人女性の演じるアダルトビデオということは多く、かつては飯島愛や白石ひとみ、最近では波多野結衣らセクシー女優が存在感を示してきた。バラエティ番組では、「ヤメテー」「ダメー」「イクイク」など日本発のアダルトビデオ経由で輸入されたカタコト日本語を出演者が多用するほど、一般的に浸透した日本イメージである。中国、韓国やタイでも、日本の性的コンテンツは同様に人気だ。

これら三つの要素と、商品が男性用避妊具というのを総合し、大久保氏の件《くだん》の広告から「淑女・優しい・性的な奉仕」などかつての封建的な社会下における理想の女性像を思わせるメッセージを受け取ったことが、わたしが不快感を覚えた理由と思い当たった。周りを見ても日本女性の在り方は多種多様でそうした限定的なイメージを持たれるのは心外だし、また台湾の男性がそうした価値観を良しとするかのようなメッセージがこの広告に含まれているとすれば、台湾の女性に対しても失礼だと感じる。実際、周囲にこの広告の感想を問うたところ、「職場の同僚に以前『日本から帰ってきた人妻って聞くと、なんかアダルトビデオを思い出す』と言われ非常に腹が立った」という女性や、「日本に留学すると言ったら『アダルトビデオがどこでも買えていいね』とからかわれた」男性など、不愉快な思い出を連想したと話してくれた台湾人の友人もいた。

時として驚くほど保守的な台湾社会

近年の統計を見ると、台湾におけるエイズウイルス（ＨＩＶ）など性感染症の感染者数の増加率は日本に比べても高い。そこで、インパクトのある広告で若者にコンドーム使用を周知する必要があるのはもちろんだ。しかし、だからといって日本人女性を起用してステレオタイプを強化することに目をつぶってもよいとは思わない。大久保氏がこの商品の広告に起用されたのは２０１７年の初め頃である。大久保氏のフェイスブックを見ると、コンドーム使用の重要性を明るく訴えていて、性的というよりむしろ健康的な感じで好感を持てる。しかし大久保氏もまた「日本女性」という属性から自由ではない。広告する側が受け手にインパクトを与えたいならば、むしろ台湾人スターの女優・モデル・歌手を起用した方が若い世代への訴求力は大きいだろう。だけれど、そういう広告を見たことがない。台湾社会はアジアで初の同性婚法制化を実現するような進歩性を持つ反面、驚くほど保守的なところがある。そうした中で、避妊具の広告塔になるのは台湾女性スターにとってリスクが大きい。そこで日本人タレントが体よく使われているような印象が強まってしまった。

さらに違和感を感じたのは、大久保氏がセクシータレントではなく一般俳優であるところだ。台湾でのアダルトコンテンツの国際イベントで日本のセクシー女優がコンドーム使用の啓発をしている例もあり、それはプロフェッショナルの仕事として尊重されるべきことだ。しかしそれが日本人女性という属性だけで一元的にくくられるならば今後台湾で活動する日本人女性タレントへの影響も懸念される。またそうした女性の個を軽視する無意識がひいては昨今、日本で社会問題化しているアダルトビデオ出演強要などの人権問題と根っこでつながっているようにも思う。同じく「Durex」の中国の広告には、さらにあからさまなものもある。起用されている中国人モデルがスクール水着を着て座り、"kawaii-make me sexy"といった言葉が添えられ、明らかに日本人女性に付随するゆがんだ性的イメージが意図的に投影されている。台湾の広告の作り手が、そういったステレオタイプをどれだけ意識したかは分からないが、もし無自覚で作っているならば、問題の根は余計に深いと思う。

広告は「記号」でできている。「どういう商品が」「いつ」「誰が」「どんなシチュエーションで」「どういう風に使われるか」の要素を組み合わせ、短時間で消費者にメッセージを伝える。欧米では、こういった広告における記号性にはとても敏感だ。誰かの人権や尊厳を侵害するようなメッセージを広告が伝えていないかどうか、議論してきた歴史がある。そのため近年は、コンドーム広告に女性を登場させるものはあまりない。男性用避妊具とは男性が装着するものであり、それを使用する際の相手が女性であるとは限らない。また、よしんば女性としたところで、人種など女性の属性によって間違ったメッセージを伝えてしまう恐れがある。そうしたポリティカル・コレクトネスを意識した広告づくりのなか、優れたクリエイティビティを感じさせるものも多数生み出されている。例えばポスターの真ん中に銃弾のみが置かれた広告は「生身の男性器は、銃弾と同じぐらいに危険」という明確なメッセージを伝える。安易な発想に頼らないぶん、想像力と創造性が要求され、広告業界の質の向上にもつながる。

日本でも、1990年代に作られたHIV予防啓発ポスターには差別的なものが多数あった。一例を挙げると、当時は性的なイメージの強かった外国人女性労働者を想起させるイメージに、コンドームが覆いかぶさっているといったものだ。そんな当時の現状に危機感を覚えた京都の美術学校の学生たちによって、従来とは全く異なる斬新な発想で受け手を引きつけるHIV予防啓発運動が起こった過去もある（エイズ・ポスター・プロジェクト）。

台湾で暮らし始めてもう10年以上になる。その中で台湾社会は大きく進んだと感じる反面、広告表現に関しては一部の視覚デザインがスタイリッシュになったことを除き、そう進歩しているとは残念ながら思えない。大部分はスターや有名人がほほ笑んでいて、商品がファミリー向けならば幸せそうな一家の日常に商品が登場するなど単純で一元的なものが多い。日本はどうだろう？　デリカシーに関わる表現を広告に用いていないだろうか？

2018・2・3

17 有縁千里来相会（縁でむすばれ、千里を越えて）——台湾に嫁いだ日本人妻たちの百年

日本で出産し、子供が1歳半のころ台湾に戻ってきた。２００6年に国際結婚して以降、二度目の台湾生活の始まりである。同居していた台湾人の夫の家族はよくしてくれたが、言葉の壁や文化背景、考え方の違いでコミュニケーションがうまく行かないことも多々あった。目の離せない時期の幼子を抱えて自分の時間が持てず、いら立ちは塵積もった。親しく相談できる友人もおらず、日本語で思う存分話せる機会もない。夜中にベッドで涙が止まらなくなり、枕に顔を埋めて大声で叫び続けたこともある。でも、自分で望んで来たのだから泣き言をいってはいけないと思い込んでいた。夜中に授乳で二、三度は起きるので寝不足の状態が1年半以上続いていたある日、急に思いたって断乳を試みたら乳腺炎になった。台北でどこか助けてくれるところはないかと必死でネット検索して見つけたのが「ねねの会」だった。

「ねね」は台湾語で「おっぱい」を意味する。最近でこそ行政主導で母乳育児も推進されるが、

出産して早い段階で仕事に復帰することの多い台湾で母乳育児は日本ほど一般的でない。日本の看護師資格を持つ代表者の林さゆりさんを中心として2000年に設立された「ねねの会」は、新生児訪問をはじめ母乳の利点や乳房・乳頭のトラブル、離乳・卒乳などをテーマに勉強会を開催する。妊娠中や育児中の日本女性には、来台して間もなかったり、言葉が話せなかったりと孤立するケースも少なくなく、実際にわたしもその一人であった。林さんに電話をかけて乳腺炎への対処法を請いながら自分の境遇をもらした。林さんはわたしの切羽詰まった雰囲気を察知してか、

「普段から相談できるお友達はいますか?」と聞いてくれた。

台北に親しい友人のいないわたしに、林さんは「なでしこ会」を紹介してくれた。台湾人と結婚し台北エリアで暮らす日本女性の会で、月1回の例会があるという。初めて「なでしこ会」に参加したときのことは、はっきりと覚えている。現状をぽつぽつと話すわたしの肩に、ある先輩がやさしく手を置いて言った。「みーんなおんなじ。みーんなそうだったのよ」

自分だけではない、多くの先輩たちが同じようにつらさを乗り越えてきたことを知り、寒空の下で凍えているのを暖かな毛布にくるんでもらったような気分だった。とはいえ、台湾に嫁いだ日本女性の歴史が台湾の歴史と同じぐらいに複雑であること、そして多くの日本人妻がわたしとは比較にならぬほど苦しい境遇にあったと知るのは、もっとずっと後のことである。

戦前の日台婚姻状況

台湾内政部によれば、2018年の外国籍配偶者の数は18万4346人(中国、香港、マカオを除く)。うち日本籍を持つのは4943人で、女性は2636人。ベトナム、インドネシア、タイ、フィリピンについで5番目で、割合としては決して多くはない。しかし歴史的には百年を超え、日本時代までさかのぼる。

1895年、日本の植民地経営が始まった当時、台湾人と結ばれた日本女性は「妾」という身分で「真面目の女でなく殆んど其総ては醜業婦の類ひ」という偏見の下にあった。[*1] 当時の台湾総督府が台湾人に日本国籍を与えながらも、日台婚姻についての法制度が確立していなかったためだ。その後1920年には、台湾人の日本同化を促すため日台婚姻が法的に受理される。また、台湾の裕福な子弟は日本に留学し出会った日本女性と結婚した。華南銀行の創業者で台湾有数の財閥である「板橋林家」の林熊徴《リン・ションヂォン》をはじめ、台湾の名家に嫁いだ日本人女性が少なくないことは後の台湾における日本人女性という「ブランド」に影響を与えているだろう(参考「日本人女優を起用したコンドームの台湾広告に違和感を抱いた理由」P121)。

戦後、日本人妻をめぐる状況は一変する。1945年、台湾は中華民国に編入され、1947

年には二二八事件が勃発。国民党政府のやり方に不満を持った民衆が台湾各地で起こした暴動は政府から武力鎮圧され、おびただしい人命が失われた。とりわけ、日本教育を受けたエリート層は弾圧の標的で、多くの日本人妻たちは息をひそめ脅えながら生活した。同年、在台日本人の引き揚げにともない帰化を条件に台湾に留まることをゆるす政策がとられ、258人が日本国籍を放棄(1946年/台湾日僑管理委員会調べ)、日台婚姻も減少に転じる。当時、台湾で生活していた日本人妻はすでに台湾人に嫁いでいたか、台湾人の夫と一緒に日本から引き揚げてきた人がほとんどだった。また少数ながら国民党政府とともに中国から渡ってきた日本人妻もいた。戦後、台湾接収の際に初めて行政長官となり、二二八事件の責任者でもあった陳儀の妻も日本人であった(しかし陳儀の妻は上海に留まり台湾には来ていない)。

それからしばらくは日本人妻にとって辛い時代だった。1949年に中国で共産党との内戦に敗れ台湾へ撤退した国民党政府は、二二八事件の教訓を生かして台湾全土に戒厳令をしき、1987年の戒厳令解除まで38年ものあいだ言論を統制、反体制と見れば有無を言わずに弾圧した。そうした強権的な政治への不満をそらし、政権の安定を図るために行われたのが徹底した反日教育である。しかし理由はそれだけとも思えない。中国から国民党と共にやってきた人々にとっては日中戦争の記憶が、まだ生々しいこともあったろう。戦後に中国から来た人々で、主に公務員が多く居住する地域に住んでいたある日本人妻は、市場や美容院で嫌がらせを受け、陰口をたたかれて自殺寸前まで追い詰められた。母親が日本人だと学校で知られ、「日本鬼子《リーベングェイズ》」と罵られて石を投げられるなどイジメに遭ったミックスの子供も多かった。

出入国も不自由で、多くの日本女性の里帰りが十数年も叶わなかった。台湾で暮らす日本人妻の貴重なエピソードが満載の書籍『海を越えたなでしこ』(本間美穂/日僑通訊出版/1999年)によれば、ある女性は日本に暮らす母親の危篤の知らせを受けながら、帰国の許可が下りるまで半年かかり死に目に会えなかった経験を語っている。戒厳令下では日本の図書やレコードの発売禁止に加え、公の場での日本語使用も禁じられ、日本の文化や娯楽を楽しむ機会も稀少だった。さらにいえば、日本以外のアジアの国々に対して優越感をもち見下してきた日本人自身の無理解にも苦しめられた。差別と偏見からくる周囲の反対を押し切って結婚したために、実家を頼れず長いあいだ故郷の地を踏めなかった女性も少なくない。

1975年、そうした複雑な社会状況下でたまたま知り合った7人によって、「なでしこ会」の前身「大根の会」は設立され、国際結婚家庭がもつ共通の悩みをシェアしあうようになった。やがてそこから、外国籍配偶者の立場を劇的に改善した「居留問題を考える会」、日台婚姻家庭の子供のバイリンガル教育を担う「台北日本語補習校」、母乳育児支援の「ねねの会」など、わたしを含め台湾で暮らす日本人配偶者の生活に大きく貢献する団体が巣立っていく。

独りぼっちで悩まないように

土にしっかり根付いて健康で過ごせるようにと願いを込めた「大根の会」だが、大根は女性の太い足をからかう例えでもあると知り、「なでしこ会」に改められた。7人で発足した会だがピーク時には会員数160人を超え、45年目を迎える2020年も約100人の会員がいる。年に数度の例会があり、新しい日本食レストランの情報から子供の言語教育、帰化やお墓の問題まで30代から80代と幅広い年齢層の会員の話題は多岐にわたる。しかし近年、インターネットの普及で友人づくりや情報収集の機会が多様化し、また働きに出る日本人妻も増え、会は縮小の方向にある。長年、会長や顧問として会をささえ「なでしこの母」と呼ばれた故U・Kさんも、家族の反対を押し切って結婚し、台湾に帰化してから15年のあいだ日本に帰ることができなかった。そんなU・Kさんに生前、会についてインタビューしたことがある。U・Kさんは最後しみじみとこう言った。

「異郷で独りぼっちで悩むのは精神衛生上とっても危険なのよ。波長の合う友達をさがして一日でも早く当地に順応し、健康で幸せな家庭を築いてほしい。『なでしこ会』はその拠り所として、会を必要とする人がいるかぎり一日も長く存続してほしいわね」

ちょうど、台湾北部に暮らす日本人妻がみずから命を絶ったニュースを聞いたばかりだった。

国交断絶で厳しくなった台湾での生活

「なでしこ会」発足の数年前、台湾と日本をめぐる状況はふたたび大きな変化を迎えていた。1972年、日本政府が中国（中華人民共和国）と国交を結び、中国の主張する「一つの中国」を理解・尊重すると声明を出したことで、実質的に台湾（中華民国）と断交したのだ。それまで、日本人妻の在留は帰化を条件に認められてはいた。しかし、国交断絶で台湾の国籍法の条件を満たせなくなった日本人妻たちは、帰化ができない。また当時の台湾政府は外国人配偶者の永住権も認めていなかった。加えて個人が労働ビザを取るハードルも高い時代である。よって1972年以降に台湾へ渡った日本人妻たちは、最高3年ごとに在留資格を更新し、働くこともままならず、夫が亡くなればすぐさま在留資格を失い、それまで築いたすべてを失って日本へ帰国を迫られるなど非常に不安定な立場に甘んじていた。

「法的に妻が職を持てなければ、台湾人の夫が病気などで働けなくなった途端に一家は路頭に迷わなければなりません」

1990年に日本語教師として台湾へ派遣され、職場で知り合った男性と結婚し、後に立法院の公聴会で発言するなど外国籍配偶者運動に関わった永井江理子さんは語る。

「今でこそ同性婚も認められ、台湾はアジアでも先進的な人権意識を持つと言われます。でも当時の台北郊外では、東南アジア女性との結婚を斡旋する会社の看板に『処女保証、どんな苦労にも耐えます！』などと書かれ、外国人の人権が重んじられているとはとても言えない時代でした。また居留ビザが取得できる業種は非常に少なく、日本のエンジニアが取引先の作業に立ち会うため新竹に出張してきたけれど、労働可能なビザではないからと捕まって外国人収容所に入れられ強制送還されたケースもありましたね」

台湾政府が外国人移住者に厳しかった裏には、国内人口の過密化や敵対する中国からの移民を制限する事で国家安全の維持をはかる意図もあったろう。しかし、移住者や入国者個々の事情が顧みられることはなく、また日本政府側から日本国籍者の人権を守るための働きかけがあった訳でもない。


「移民法」成立をきっかけに、居留問題が大幅に改善

国際結婚して台湾に暮らす日本人妻は、大まかに3つのグループに分けられる。

年配に多いグループ①は、日本に留学した台湾人男性が日本で出会った女性と結婚するパターン。かつては日台の経済格差により台湾から日本へと留学するのは富裕層の子弟が多かったので、経済的な余裕のある家庭が多い。

グループ②は、米国やオーストラリアなどの留学先で出会い台湾で家庭をもつパターン。1980年代に台湾が大きく経済成長を遂げた頃から増加している。

グループ③は、台湾や中華圏の文化に惹かれた日本人が台湾に留学や短期滞在しているうち夫と知り合ったパターンで、日本での台湾人気が高まっている現在こうしたケースはますます増加するだろう。

3つのグループは、時代につれて変化してきた日台の関係性を反映するようで興味深いが、各家庭の背景や経済状況は当然だがまったく異なる。とはいえ、かつて①のイメージが日本人妻のステレオタイプだった台湾社会では、日本人妻が働きに出たいと訴えても「どうしてお金持ちの日本人妻が働く必要があるんだ?」と取り合ってもらえなかった。何より問題は、当時の配偶者ビザでは夫と離婚や死別した後の居留が認められなかったことだ。80歳を過ぎて夫が亡くなった途端に家も身寄りもない日本へ帰国せざるを得なかった例もあり、事態は深刻だった。

そこで立ち上がったのが、なでしこ会有志である。1998年に「日本人妻の永住権を考える会」をなでしこ会内に設立し、台湾日本人会ほか台湾各地の日本人妻の会(台中桜会・台南南風・高雄ひまわり会)に呼びかけて座談会を開き、署名活動や立法院での公聴会に参加した。公聴会には、台湾の日本語教育世代を中心に運営する「友愛会」「台湾歌壇」の力添えもあり、２００人以上が集まって「入出国及移民法」（以下、移民法という）の早期制定を訴えた。１９９９年には、在台外国人配偶者の居留環境改善をめざして日本語で活動する組織「居留問題を考える会」としてなでしこ会から独立し今にいたる。当時より会の中心を担ってきた大成権真弓《だいじょうごんまゆみ》さんは当時のロビー活動について、

「あの頃はメールもなく、ファックスのやり取りが何メートルにもなるほど会員同士の意見を戦わせました。１９９８年11月の立法院（国会）では公聴会を開催して、その後も毎日のように立法委員（議員）に要望を伝え続けたんです」と話す。

特に応援してくれたのが、現与党・民進党の創立メンバーで２０１９年に亡くなった元・立法委員の謝聰敏《シエ・ツォンミン》氏である。国民党の戒厳令がもっとも過酷だった１９６０年代、謝氏は台湾独立を主張したと逮捕され、幾度もの拷問と投獄に耐えた。出獄後に渡った米国では外国人である自分のために議員が奔走してくれた。その経験があるからこそ、日本人妻の支援を買って出た。謝氏は前述の書籍『海を越えたなでしこ』でこう語っている。

「日本人妻の境遇について聞かされた時、米国で同じ経験をしていた私は身につまされるようでした」「在留資格を証明する一枚のペーパーがないために人間の権利も主張できなくなってしまう」

1999年5月、活動が実を結んで「移民法」が制定、外国人配偶者の永住権が認められ、2000年2月より永久居留証の受付が始まる。奇しくも国民党以外から初めて政権が生まれた年で、台湾全体が民主化の大きなうねりの中にあった。日本人妻たちによって考え抜かれたきめ細やかな居留環境への要望は、その後の台湾における移民政策に少なからず影響を与えたと思われる。

「居留問題を考える会」はその後も、「永久居留権」「日本人の台湾への帰化許可」「台湾人の母親を持つ子供の台湾国籍の取得（それまでは父系血統主義で、父親が台湾人の子供のみ台湾国籍が取得できた）」「全民健康保険への個人加入」「労働ビザなしで仕事ができる」という当初からの目標に向かって仲間の外国人グループと協同し、法制度を整えていった。わたしが台湾で少しばかりの印税を得て、講演活動をしても法的問題が生じることはない。病院に行けば皆保険制度で安価に質の高い治療が受けられる。当たり前のように享受している今の居留環境は、実は多くの先輩たちの手で勝ちとられた成果だったのだ。

現在、「居留問題を考える会」は会員数480人を超える大所帯となったが、いまだ外国人には適用外の法制度もあり、まだまだやることは多いと大成権さんは笑う。

「まるで、お悩み相談所みたいと思うときもありますよ。モラハラや離婚などしとしと雨の続く冬には特に相談が増えますね」

在台日本人が陰ながら深く関わってきた台湾の移民政策は、現在、アジアの中でもトップクラスと言われる。しかし、家庭内ＤＶや東南アジア出身の母親を持つ子供がイジメを受けるなど問題も山積みだ。大成権さんがインタビューの最後に話してくれた言葉が印象的だった。

「移住者の次世代の子供たちはルーツの国との懸け橋となる存在、国にとっても多くの可能性を秘めた宝物です。それを認識し、生かしていく教育方法や制度づくりを進めることこそ、日本でも台湾でもますます重要になると思います」

＊１　「臺灣日日新報」１９１５年４月23日

日台文化比較

18

「ショーロンポー」は台湾料理？
——多文化の融合から考える台湾の豊かな食

台湾に行ったらなに食べたい？　と日本人に聞けば、「小籠包」と「マンゴーかき氷」がおそらく上位に入るのではないだろうか。日本人観光客が多く訪れる永康街《ヨンカンジェ》に行けば、ミシュランの星を獲得し今や小籠包の代名詞ともいえる鼎泰豊《ディンタイフォン》本店や、シーズン時のマンゴーかき氷のお店に長蛇の行列ができる。

しかし厳密にいえば「小籠包」は台湾料理ではないかもしれない……と言えば、驚く日本人は多いのではないか？　台湾を代表するレストランの看板料理が「台湾料理」ではないとは。では小籠包とはどこの料理なのか？

近年になって中国料理の世界では「八大菜系」という区分ができ、地方や料理法・食材などによって中華料理をおおまかに8つの系統に分けている。この8つに何料理が入るかは諸説あるものの、一般的には日本でもよく知られる広東料理や四川料理もそのひとつで、ほかに山東、江蘇、浙江、安徽、福建、湖南の料理（菜《ツァイ》という）が挙げられる。

小籠包の名店・鼎泰豊はこのなかで、上海や蘇州・杭州をルーツとした料理「江浙菜」に分類され、小籠包もそこに含まれる料理というのが台湾では一般的だ。ではなぜ小籠包が台湾を代表する食べ物になったのか、それは台湾の歴史と関係が深い。

「鼎泰豊」はこうして生まれた

1945年、終戦により台湾を植民地としていた日本人（約30万人）は引き揚げていった。それと入れ替わるようにして台湾へとやってきたのが、中国共産党との国共内戦に敗れた蔣介石ひきいる中国国民党の政府関係者や軍人とその家族など、百数十万人の人々である。

これら戦後に移民してきた人々の出身地は中国各地に渡り、その特色を備えた料理文化が台湾で花開いた。例えば刀削麵や水餃子・肉まん・餅《ビン》といった小麦粉をつかった料理は中国北方の山東出身者から、唐辛子や花椒を効かせたスパイシーな料理は四川や湖南など内陸部から、チャーシューやローストダックなどは広東からといった具合だ。

鼎泰豊の創始者も戦後に中国から台湾にやって来た。油売りの商売をしていたが上手く行かず、同じく移民として上海（浙江）から来た料理屋のオーナーから、油の隣で小籠包を作って売ったらどうかと勧められ始めたのが大当たりした。

以前、タクシーで台北の中心にある大型公園「大安森林公園」の横を走っていると、運転手さんが「俺はここで育ったんだ」と教えてくれた。今でこそ緑豊かな公園だが、かつてはバラックが立ち並ぶ「眷村《ジエンツエン》」と呼ばれる中国からの移民村があった。運転手さんは、当時は他の家の子供たちと毎日みんなで食卓を囲み、今日は上海出身ママの上海料理、翌日は四川料理と毎日色んな場所の料理を食べて楽しかったよ、と思い出を話してくれた。のちに各地の料理の特質が合わさった眷村式の家庭料理は「眷村菜」と呼ばれ、現在はひとつの料理ジャンルとなった。

では「台湾料理」といえば、どんなものを指すのだろうか。よく言われるのは例えばビーフン（麵線）など、日本時代の前に台湾に移住した中国福建系の人々によって持ち込まれた「福建料理」をベースにして、台湾の気候や材料に合わせて発展し、更に原住民や客家、日本など多様な文化が影響を与えたというものだ。

「マンゴーかき氷」は日台のハイブリッド料理

実際、「台湾かき氷」も台湾と日本のハイブリッド文化である。もともと中華的な食文化において、小豆や緑豆などいろんな豆を少し甘めに煮たスープが好まれていた。一方、氷を削って食べるかき氷について日本では平安時代から記録があり、明治期には庶民の食べ物として定着した。これが日本時代に台湾へと持ちこまれ、両者が合体して「台湾かき氷」ができ上がった。更にそこに、マンゴーなどのフルーツやプリン載せ、雪花冰《シュエホアビン》（杏仁フレーバーのふわふわかき氷）として進化したのが現在の台湾かき氷と教えてくれたのは、台湾で美食作家として知られるハリー・チェンさん。ハリーさんの著作『台湾レトロ氷菓店 あの頃の甘味と人びとをめぐる旅』は日本で翻訳出版（中村加代子訳／グラフィック社）もされている。

「台湾料理」という言葉自体、日本時代に酒楼で中華料理風の宴会料理を賞味していた日本人によって付けられたという話もある。

国際基督教大学アジア文化研究所研究員の大岡響子氏はこう書いている。

「中央研究院の曾品滄氏によると、『台湾料理』という言葉は、日本が台湾を領有した翌年1896年に、日本人が日本料理と現地の料理を区別して呼称するために使い出した。つまり、台湾料理は、外部からやってきた日本人によって、『台湾料理』と名付けられたことにより勝手に線引きされ、突然一つのジャンルとして登場したのである。」

「『台湾料理とは何か』を説明することの難しさは、台湾が経験してきた歴史の屈折と複雑な折り重なりからくるものだ。」

（大岡響子「「台湾料理」は何料理？」https://www.nippon.com/ja/column/g00515/）

それは確かに「台湾とは、台湾人とはなにか」を説明する難しさに似ている。

「本場の味」が消えていく水餃子……

とあるグルメな友人（台湾人）は、近年の台湾アイデンティティーの高まりによって水餃子の味がどんどん落ちている、と嘆いていた。いわく、戦後の移民で来た人々も2世3世となって台湾化が進んだ結果、戦後に持ち込まれた「本場の味」に影響を与えているという（とはいっても、この友人バリバリの緑派――台湾本土派を指向する政治パーティ支持者なのだが）。

たしかに、人気の餃子店にいってもキムチ味とかカレー味とか、元々の水餃子からかけ離れた得体の知れないものが増えた。また中山堂前の上海隆記菜館など昔ながらの味を伝えてきた老舗レストランも減る一方だ。

日本人に伝えたい「台湾料理」の正体

わたしの一番好きな台湾朝ご飯の鹹豆漿《シェントウジャン》（塩気のある豆乳スープで、酢の化学反応により茶碗蒸しのようにプルプルしている）も、実は戦後に台湾で発明された。牛肉麵だって戦後に四川から高雄に移民してきた元軍人さんの発案で、これも今や立派な台湾料理に数えられる。結論をいえば、台湾料理とは他の文化の流入を受けながら絶えずアップデートされており、冒頭の小籠包も「台湾料理」といっても差し支えないのかもしれない。

小籠包ひとつとっても、これだけ複雑な履歴がある。だがそれは、台湾に限ったことではない。メソポタミア地方で紀元前八千年ごろから栽培されるようになった小麦が、シルクロードをわたりウイグルを経て唐の都に伝わった。かつて「饂飩《うどん》」とは小麦粉を利用した食べ物すべてを指したという。それを丸く伸ばして肉や野菜を挟むようになったのが餃子で、イタリアでラビオリに、ロシアでペリメニに、トルコでマントゥに、モンゴルではボーズになった。食の背景に思いを寄せれば、何気ない日々の食事もなんと味わい深いものであるだろう。

２０１９・３・７

19

「山本頭」ってなに⁉
――台湾で独自の進化を遂げた「男らしさ」のイメージ

台湾の街を歩いていた時、とある理髪店に目が吸い寄せられた。店のガラスに大きく書かれた髪型のメニューに「山本頭」とある。

「山本頭《サンベントウ》？」

「山本」に髪型を意味する「頭」を付けたのだから、おそらく日本の「山本さん」と関係があると思われる。しかし、日本でそんな髪型があるとは聞いたことがない。日本にはなくて台湾にある山本頭はいったいどんな髪型なのか？　歌手の山本譲二さんと何か関係があるのだろうか？

1964年に開店した桃園市にある理髪店「平頭専門店／スポーツがり」のオーナー・劉鬍子《リュウ・フーズ》さんによれば、山本頭の山本とは、太平洋戦争で連合艦隊司令長官を務めた山本五十六を指す。

山本五十六は1884年に新潟県で生まれ、太平洋戦争終戦の2年前、1943年に現在のパプアニューギニア（ブーゲンビル島）上空で戦死した。戦前に米国での駐在経験があり日米の国力の差によく通じていたため、日独伊による三国同盟に強く反対、東京壊滅を予言し当時の首相であった近衛文麿に日米開戦の回避を提言した。しかし戦争が始まると真珠湾への奇襲攻撃を企画・遂行したことで知られる。冷静沈着で頭も切れるがやる時にはやる「男気」あふれる山本像は、「五十六」という名前の面白さも加わって台湾の、特に黒道（マフィア）関係の男性たちから絶大な支持を集めた。前述の理髪店の劉さんによると、台湾で「山本頭」が流行し始めたのは1980年前後からという。時期的にいえば、1981年に映画『連合艦隊』（監督：松林宗恵）が日本と香港で公開され大ヒットしたころで、それが流行のきっかけだったのかもしれない。

劉さんいわく、歌手や俳優として台湾でも絶大な人気のあった石原裕次郎も台湾人男性の髪型に大きな影響を与えているという。少年時代を台湾で過ごした森田房樹さんによると、石原氏は直木賞作家の邱永漢氏と共に台北市の中山で「富士花《ふじはな》」という喫茶レストランを経営していた。1972年日台断交前で、ちょうど映画館が多く立ち並ぶ西門町では出演作『黒部の太陽』（監督：熊井啓、1968）や『風林火山』（監督：稲垣浩、1969）が公開されてヒットしており、ファンらがこぞって氏経営の喫茶店を訪れた。石原氏も来台時には気軽に客と言葉を交わしていたそうだ。

丸刈りで額をM字型にそり込むのが特徴

では具体的に「山本頭」とは、どんな髪型を指すのだろうか？ それを知るために、台北市中山区の理髪店「三郎の髪」を訪れた。機械修理店や小さな工場が立ち並ぶなか、近ごろではおしゃれなカフェやセレクトショップが次々と出店し日本や香港からの観光客も多く訪れる赤峰街《ツーフォンジェ》の、細い路地の奥に「三郎の髪」はある。

オーナーの三郎さんは、台中大甲の生まれで現在74歳。17歳で台北に来て理髪の仕事に就き、40歳で独立開業。赤峰街近辺で場所を変えながら今の場所に落ち着いて12年になる。初めて「山本頭」を知ったのは三郎さんが30歳ぐらいの時で、お客さんが持って来た俳優の渡哲也の写真がきっかけだった。三郎さんの手がける「山本頭」には定評があり、「豚肉王子」というニックネームで知られる台湾の有名歌手、蔡小虎《ツァイ・シャオフー》も常連で、壁にはたくさんのサイン入りポスターが貼ってある。わたしが訪れたときも、ちょうどお客さんが「山本頭」に理髪中だった。

まず、長さは全体的に約0・3ミリから1センチぐらい。ポイントは額の部分がM字型、つまり「そり込み」が入っていることで、「平頭《ピントウ》」（スポーツ刈り・丸刈り）の一種という。三郎さんのファンは多く、店には次から次へとお客さんが入ってくる。伸びた髪が嫌いなので10日に一度は通っているという人や、以前は肩よりも長く髪を垂らしていたが三郎さん作の山本頭にハマり半年になる若者もいた。

理髪が終わり顔をきれいにそり終えたお客さんはこれ以上ないほど「山本頭」が似合う方である。口数少なく、少しはにかんだ様子がどこか高倉健を思わせる。ちなみに高倉健や菅原文太らが出演した日本のやくざ映画も台湾ではとても人気がある。

他にも日本の影響を受けた髪型について三郎さんから教えてもらった。例えば「ハイカラ」。日本の読み方そのままで、台湾華語では「背広頭」とも呼ばれる。いわゆる七三分けをヘアクリームでなでつけた髪型である。わたしの勝手な想像だが、もしかしたら「ハイカラ」は「山本頭」よりも古く、台湾の日本時代から残っているものではないだろうか。SNS上でも「山本頭」を話題に出したところ、台湾の友人たちがいろんなことを教えてくれたので、そこからいくつか紹介したい。

平頭……スポーツ刈り
小平頭……丸刈り
分平頭……そり込み

方平頭……角刈り
背広頭／ハイカラ（海結仔）……七三分け
飛機頭……リーゼント
歐魯巴庫……オールバック
電棒……パンチパーマ
鶏頭……モヒカン

国境を越えて輸出された「男らしさ」のイメージが台湾で独自の着地を遂げた、それが「山本頭」なのだ。

２０１９・３・23

20 キョンシーから台湾妖怪まで
――日本視点で読み解く台湾ホラー映画ブーム

鬼月《グイユエ》と呼ばれる旧暦7月に合わせホラー映画が多く公開される台湾では、これまで海外の作品が中心だった。しかし2015年に台湾製のホラー映画『紅衣小女孩』（邦題：紅い服の少女）が登場して大ヒットを飛ばし、2017年に続編の『紅衣小女孩2』が公開、興行成績では1億台湾元（1元約3・7円）を突破し、その年の台湾映画で最大のヒット作となった。

『幽幻道士』から『通霊少女』まで

昨今の台湾はホラー映画ブームである。台湾の公共電視台とシンガポールのHBO（有料テレビ会社）が共同で製作した2017年4月放映の「通靈少女」は、学園青春ものと霊能ホラーを組み合わせたドラマで、実在の人物をモデルにしたこともあり大きな話題を呼んだ。台北の廟《びょう》で霊能力を持つ女子高生が女道士として次々と霊能事件を解決する内容だが、ホラーといってもそこまで過激な描写はなく、小学生の息子と観た。少しゾクッとしつつもほろ苦い、子供と大人が一緒に楽しめる質の良いドラマだった。

ドラマ「通靈少女」を観ながら思い出したのが、わたしが小学生のとき日本でテレビ放映された「幽幻道士」シリーズだ。香港映画の『霊幻道士』をもとに台湾で製作されたアクションホラーコメディーで、日本で爆発的にヒットしたが、現地台湾では全くといっていいほど知られていない。主人公のテンテンちゃんが、ちょうど同年齢だったこともあってわたしも夢中になり、弟と一緒にキョンシーのまねをして跳び回ってはおでこに黄色いお札を貼る遊びに興じたのを覚えている。主役の美少女道士テンテンを演じたシャドウ・リュウ（劉致妤）はその後、芸能事務所「松竹芸能」に入り、今も日本で芸能活動を続けているらしい。2017年は「幽幻道士」放映からちょうど30周年で、デジタルリマスター記念DVDも発売された。「通靈少女」を観ながら、もしこれから日本で放映されることがあれば「幽幻道士」のように爆発的とは言わないまでも結構な話題作となるポテンシャルを感じたのである。そこで気づいたのは、この30年間に台湾で起きた民主化、そして最近の台湾本土化と台湾ホラー両作品「幽幻道士」「通靈少女」の習俗の描き方が見事にリンクしていることだった。

台湾に根付いた妖怪や伝説

台湾の戒厳令が解除されたのは1987年。その直前の1986年にできた「幽幻道士」は清《しん》朝後期を舞台にした時代劇で、その世界観はとても中国的／中華的だ。一方、生まれながらにして台湾が独立していることを意味する「天然独」世代の誕生や、蔡英文政権の発足など台湾本土意識の進む近年に製作された「通靈少女」において、主人公は一見普通の女子高生で、舞台も台湾各地に見られる普通の廟、霊能儀式も台湾で一般的に行われる拝拝《パイパイ》（道教の祈りの儀式）に近い。何より注目したいのは、劇中で台湾ホーロー語（台湾語）が多用されることだ。「通靈少女」に続いて大ヒットしたドラマ「花甲男孩轉大人」でも、主演のクラウド・ルー（盧廣仲）の流麗なホーロー語での芝居は高く評価された。冒頭の『紅衣小女孩』のモデルはもともと、台湾人の間でささやかれてきた都市伝説で、山に人を誘い込む魔物である。外見は、紅い服を着た子供でありながら、皮膚は黒く老婦人のような顔をしているという。日本でいうところの「トイレの花子さん」とか「赤いちゃんちゃんこ」のようなものだろうか。多くの失踪事件に紅い服の少女が関わっていることを前提とし、その正体に迫るのが『紅衣小女孩2』である。

製作当時33歳の若き監督・程偉豪《ツエン・ウェイハオ》の前作『目撃者』が面白かったので、ここまでのヒット作は観ておくべきだろうと劇場に足を運んだが、もともとホラーが苦手なので途中で何度も帰ろうかと思うほど怖かった。ジェンダーやリプロダクティブ・ヘルスについて深刻な問題もあるし、CG技術にも多少物足りないものを感じたが、ホラー指数としてはタイ製や韓国製に負けないほど高く、世界のホラー市場で戦える作品に仕上がっていると思った。特に興味深かったのが紅い服の少女から主人公の母娘を守る虎爺《フーイエ》である。台湾各地の山奥の廟で祭られている山の神さまで、祭りのときに廟の道士に憑依《ひょうい》し住民に神託を与える村の守り神のような存在だ。ここ数年、妖怪ブームも起きている台湾では特に台湾民間信仰に出てくる妖怪や魔物、幽霊に注目が集まり関連本がベストセラーになっている。前作『目撃者』でも台湾ウーロン茶が事件の鍵となるなど、台湾ローカル要素を作品に盛り込むのがうまい程監督は『紅衣小女孩2』でも都市伝説や虎爺といった台湾人が共有する集合的記憶を取り入れている。

男尊女卑の伝統

台湾人の山に対する恐怖心も、そうした集合的記憶（コレクティブ・メモリー）を呼びおこす。台湾では山で起きる事件が少なくない。例えば台北の景色が一望できるので有名な象山の隣にある虎山でもこれまで何人もの登山客が失踪し、「虎山は人を喰《く》う」とニュースになった。遠い昔は山に入れば原住民族の「出草」（首狩り）に遭う危険性もあったし、亜熱帯・熱帯気候ならではの毒蛇や毒虫も多くいたる所に生えているクワズイモにも毒性がある。台湾の山の入り口にたいていある大きな廟も台湾人の「山」に対する畏敬の表れといえそうだ。

もう一つ、物語の肝は「母と娘」の関係である。映画では母の娘に対する、そして娘の母に対する思いが登場する女性たちによって繰り返し描かれ、紅い服の少女の正体もまた母親に捨てられ魔物となった少女であると明かされる。

中華圏には共通して男児を重くみる傾向があり、台湾も例外ではない。日本の出生人口の男女比率の平均は女児1に対して男児が1・05で、生物学的な比率とほぼ同じである。これに対し、台湾は多いときで男児が1・14に達したこともある。この数字には、出産前の性別診断における女児と堕胎の関係性が示される。つまり、女児に対する罪の意識から生まれたのが「紅い服を着た少女」という都市伝説になったのではとわたしは考えている。日本の妖怪である座敷童の正体も、かつて貧しさゆえに口減らしのため「間引き」されて死んだ子供との説がある。また、白い服の座敷童は吉祥を呼び、赤い服の座敷童は災いの前触れとする地域もあり、台湾の都市伝説と構造が一致する。ただ、そうした母娘の関係をテーマの中心に据えることで、妊娠や出産というすべての責任が母親へと押し付けられるジェンダー非対称の作品となってしまったのは残念である。

民俗学、集団意識とアイデンティティー

座敷童といえば、民俗学者・柳田國男の『遠野物語』を思い出す。ここに出てくる日本古来の妖怪である河童や天狗、座敷童は、ほとんどの日本人が見たことはなくとも知っている集合的記憶と言っていい。多くの日本人の目が西洋へと向いた明治期にあって、柳田の目は岩手県「遠野」というローカルへ向けられた。アメリカ人研究者、ロナルド・A・モースは著書『近代化への挑戦――柳田國男の遺産』で、柳田の学問の目的とはすなわち日本人に共通する感覚や記憶から伝統的根源を探し、日本の国民的一体感を確立することにあったという。つまり、妖怪や方言から「日本人とは何か？」を突き詰めようとしたのが柳田の日本民俗学であった。ならば、台湾における今の「台湾妖怪」をはじめとしたローカルブームも、台湾人的な国民的一体感を求める働き、そして「台湾人とは何か」という思索の発露といえるのかもしれない。今後も、台湾ローカルの伝説や習俗を発展させた台湾ホラーや台湾妖怪ものは、ますます花開いていくだろう。

２０１７・10・８

21 日本人が命をかけて食べる魚「フグ」——日・中・台・港の食文化比較

日本映画のシリーズものといって真っ先に思い出すのが『男はつらいよ』である。車寅次郎こと寅さんが日本全国を巡り、恋をし、人情に触れる旅映画の古典だが、そのパロディーに映画『トラック野郎』シリーズ（全10作）がある。『仁義なき戦い』などヤクザ映画で鳴らした俳優・菅原文太が主役の桃次郎を好演、日本の流通を担うトラック運転手として各地でいろんな事件に巻き込まれる。『男はつらいよ』と同じく各話にマドンナも登場する。本家『男はつらいよ』に比べ、全編において品位に欠けて展開も破天荒だが、1970年代の日本の風俗とエネルギーを垣間見ることができる、お気に入りのシリーズである。

その中に、わたしが育った山口県下関市を舞台にした作品がある。題名は『トラック野郎・男一匹桃次郎』（1977年）。桃次郎こと菅原文太が山口県下関まで荷を運んだ際に、ヒロイン・夏目雅子と出会うシーンが面白い。フグを食べた後、全身にしびれを感じた桃次郎が解毒のために浜辺の砂に頭だけを出して埋められる。そして、そこに現れたヒロインに一目ぼれするのである。

下関といえばフグ。フグといえば、中毒。この映画が公開されたのは1977年。おりしも2年前に歌舞伎俳優で人間国宝だった8代目・坂東三津五郎が京都で好物のトラフグの肝を食べ過ぎて中毒死し、フグ毒への世間の関心が高まっていた頃だった。

日台のフグ中毒比較

厚生労働省によれば、現在でも日本で起こる食中毒死亡者の過半数がフグ中毒という。毎年30件、約50人のフグ中毒事故が発生し、この中の数人が命を落としている。毒の成分を「テトロドトキシン」といい、摂取後20分から3時間でしびれやマヒ症状が現れ、それが全身に広がり呼吸困難で死亡する。日本人は命をかけてフグを食べているのだ。ではフグ毒にあたった場合、砂浜に体を埋めれば本当に解毒できるのだろうか?

下関市でフグ料理レストラン「ふくの関」を営むフグの専門家、上野健一郎社長にたずねると、

「全くの迷信です！」と笑いながら切り捨てられた。「ふくの関」はフグの仲卸の老舗「畑水産」を前身とし、現在は加工会社「株式会社ダイフク」を母体とする。

山口県では数十年ものあいだ中毒は出していない。今は山口のほか、福岡、大分、東京、大阪といった自治体でフグ加工専門の調理師免許の取得が義務付けられ、資格を持った人にだけフグ料理の調理が認められている。上野社長は言う。「山口県の基準はかなり厳しい。〝ふく〟を扱う上での安全性に高いプライドを持っちょるんです」。山口県ではフグのことを濁らずに「ふく」と呼ぶ。「福」とかけて縁起をかつぐのだ。全国で捕れた天然フグと長崎県を中心に養殖されているトラフグなどの8割が下関に集められる理由は、加工会社が集中しているから。加工会社で毒の部分を取り除かれたフグは、無毒の状態で全国へ出荷される。そんなわけで、映画『トラック野郎』で描かれたシーンのように、レストランや料理屋で出されたフグにあたることは当時も今もほぼないといって間違いなく、中毒事故のほとんどは素人の調理によるものという。

8代目・坂東三津五郎の中毒死についてはまた別の事情がある。猛毒のトラフグの肝が好物というのを不可解に感じる現代人は多いだろう。実は、当時の食通の間では、肝をわさび代わりにしょうゆに溶いてフグ刺しを食べ、毒の成分で舌がピリピリとしびれてくるのを楽しみながら酒を飲むのがひそかに好まれていた。しびれと酔いでもうろうとしながら肝の皿を重ねるうち、許容量を超えついには死に至る……こんなリスクを取る料理屋も、今はもはや存在しないだろう。

実は台湾でもフグ中毒は少なくない。１９９1年から２０１1年までに起こった食中毒死亡事故15件のうち11件がフグ毒によるものだから、台湾人のフグへの興味浅からぬとみてよい。

フグ食禁止から解禁まで

下関市が「ふく」の本場として発展してきたのには、こんな経緯がある。本州の最も西に位置する山口県は三方を海に囲まれている。古くは中国・朝鮮との交易で「西の京都」と呼ばれるほどに栄え、平家の合戦や明治維新など数々の歴史的事件の舞台となった。

明治維新の功績により日本の初代首相となった伊藤博文は山口県出身で、郷里に帰った際にとある料理屋を訪れた。その日は海が荒れてよい魚が手に入らず、困り果てた料理屋のおかみは手打ち覚悟で、豊臣秀吉の時代から禁制でありながら山口では料理法が確立していた「ふく」を伊藤博文のお膳に上げた。

そのおいしさに驚いた伊藤博文は１８８8年にフグの禁制を解き、その料理屋に「ふく料理公許第一号」の免許を与える。料理屋の名は「春帆楼《しゅんぱんろう》」、下関で最も格式の高い料亭である。数年後、春帆楼で伊藤博文と李鴻章《りこうしょう》によって調印されるのが日清講和条約（下関条約）だ。現在は改築されたが、戦前にあった元の館《やかた》の2階が調印会場だった。

1895年に調印された日清講和条約とは、清《しん》国が多額の賠償金を支払い、朝鮮国を朝貢国から解放した上、台湾、澎湖諸島、遼東半島を日本に割譲するのを取り決めることだった。清朝全権大使・李鴻章、日本の伊藤博文総理大臣、陸奥宗光外務大臣によって署名された調印文書の1部は日本に、そしてもう1部は蔣介石の手で台湾へと持ち込まれ、現在は台北の故宮博物院にある。台湾が清より日本に割譲され、台湾と日本が運命を共に歩むことになったスタート地点、それがフグ料理の後任第1号になった春帆楼なのである。

毒がなければ「珍味の王」にならなかったかもしれない

中国では、2300年前の秦《しん》の頃に記された『山海経』に「フグを食べると死ぬ」という記述があるらしい。その一方、宋《そう》の詩人・蘇軾《そしょく》（蘇東坡《そとうば》）もフグのおいしさについて詩をいくつも残しており、中国でもあえてフグを食べてきた歴史があったことが分かる。その後、中国は1990年から法律でフグ食やフグの流通を禁止したが、20年以上輸出を続けてきた実績の高い国内の養殖・加工会社のフグについては2016年に限定的にフグ食を解禁、興味は再び高まりつつある。

香港の状況はどうだろう。香港の音楽プロデューサーで美食家としても知られる于逸堯《ユー・ヤッヨー》氏に聞いてみると、現在の香港でフグを提供している料理屋は聞いたことがないという。しかし70年以上前は一部の香港人もフグを食べていた。というのも、于逸堯氏の曾祖母《そうそぼ》もフグを食べ中毒を起こしたと伝え聞いているからだ。また台湾の場合、現在フグを食べることができるのは日本でフグの調理免許を取って帰ってきた料理人による日式料理店が主らしい。日本では、縄文時代からフグを食べていた形跡が日本各地で古代人類のごみ捨て場である貝塚から見つかっているが、豊臣秀吉のときから近代まで綿々と「河豚《ふぐ》食用禁止令」が続いた。どうして禁止されたのか？　それは死の危険を冒しても食べる人が後を絶たなかったからだ。

それほどまで、古代から人間は危険なフグ食に魅了され続けてきた。死と隣り合わせの快楽はそれほどまでに甘美なのか？　底知れない人間の欲望を感じ、何だかぞっとしてしまう。ということはフグに毒がなければ「珍味の王」として君臨することもなかったかもしれない。

今やインターネットでトラフグを取り寄せ、その美味を堪能できる時代になった。何千年もの時をかけ、日本人はその知恵と技術で毒を持つフグを征服したともいえる。養殖技術も大きく進歩し「無毒トラフグ」も登場している。また冬の味覚というイメージが強いフグだが、高品質の養殖トラフグも一年を通して味わえるようになっていることはまだまだ知られていない。おいしく安全なフグの刺し身。ひんやりと甘くコリコリとしたそれを舌にのせるとき、背負う過去の大きな犠牲を思えば味わいはまた格別となるやもしれぬ。

2017・12・16

歴史交錯

22 洗骨
——日本と台湾と沖縄にある生と死の間の世界

「死」を表す言葉を探して

日本語で「死ぬ」という状態を表す類語は「亡くなる」「逝去」「儚《はかな》くなる」「旅立つ」など数多い。これについて台湾の語学学校の先生と雑談していたら、「台湾語では、『蘇州に卵を売りに行く』という『忌み言葉』がありますよ」と教えてくれた。どうして「蘇州」で「卵」なのかを聞いたが、先生も分からないという。それ以来、台湾ホーロー語（台湾語）を話す年配の方と会うたびに由来を尋ねているが、これという答えはまだ聞いていない。日本にも似たような話がある。よく知られているのは厳島神社が鎮座する広島県宮島である。神の島と呼ばれる宮島には「ケガレ」を忌み嫌う厳島信仰があり、島内には墓地が無い。住人が亡くなると対岸に運ばれ埋葬の際には、「死」という言葉を避け「広島へ行く」と代用した。江戸時代中期の国学者、小野《おの》

高尚《たかひさ》の随筆集『夏山雑談』には、

「西国辺りにて卑俗の諺《ことわざ》に死することを広島へゆくと云《いう》は　安芸国厳島は神地にて穢《けがれ》をいむ故に人死するときは其死骸を片時もおかず　息たえぬればいまだ死せさるよしにて広島の地に渡し彼所にて喪を発し葬をし是《これ》故に死と云ふを忌て　広島へゆくといいならわせしなり　是厳島の土俗忌言葉なり」

とあり、これが西日本各地へと伝わって「別府の温泉に入りに行く」「広島に鍋を買いに行く」「大阪にたばこを買いに行く」と変化したようだ。


台湾でも古くから死者に恐れを抱いてきた。

台湾の民俗学者・劉枝萬《リョウ・ツーマン》によると、台湾の葬儀の機能とは死者への「本能的嫌悪恐怖感」に基づく「関係断絶」にあるという。死んだ瞬間から腐敗を始める死体は有毒性を持ち危険なうえ、死者がこの世とあの世の境界にとどまり「鬼」になれば、生者に災いをもたらす。

現在、台湾には太平洋戦争で亡くなった日本人を神様として祀る廟《びょう》があるが、台湾人が死者に抱く強い嫌悪と恐怖感に注目すれば、亡くなった日本人への尊敬の結果というより志半ばで死んだ霊が荒ぶることを恐れ、手続きを踏むことでたたりを避け、地域の共同体を守ってくれるように祈る側面がある。これは平家の怨霊や菅原道真に代表される日本の「御霊信仰」にも相通ずる。

民俗学者の柳田國男は論文「人を神に祀《まつ》る風習」（1926年）の中で、遺念確執を残して死んだ人の霊を「御霊」と呼んだ。今も日本に残る「霊社」「若宮」「新八幡」「今宮」はみな荒ぶる「御霊」を鎮めるための社である。

死者を送る風習「洗骨」とは

『夏山雑談』の「息たえぬればいまだ死せさるよしにて」という部分は、この世からあの世に渡るあいだにもう一つの世界が存在することを示す。特に台湾ではこのあいだの世界にある死者をいかに次の段階に送るかが重視される。わたしも台湾人家族の葬儀を経験したが、現代では儀式がかなり簡略化されている日本に比べ、台湾のそれは強烈だった。文献資料を読めばかつての儀式はもっと複雑だったことが分かり、昔の人には頭が下がる。

死者を次の段階に送る方法として、以前の台湾では「洗骨」が当たり前の風習だった（子供や事故に遭った死者は例外）。死んだ家族のひつぎを家の中に留め置き、いろんな儀式を施した後に土葬して一定期間を過ぎ白骨化した遺体を掘り返し、きれいに洗って再び埋葬する。一時的に埋葬しただけの死者は死霊のままで、子孫のためにならないどころか病や死を持ち込む危険な存在とされ、風水師が選んだ吉日に洗骨をし吉祥の方角にて第二の葬儀をする。そうすることで子孫に幸福と豊穣《ほうじょう》をもたらす「祖先」となる。今も台湾には何代も続く男性の「洗骨師」がおり、台北帝国大学で医学教授だった金関丈夫の本にも記されている通り、彼らは人体について解剖学的な知識も持っている。台湾に火葬が持ち込まれたのは日本時代で、公衆衛生の観点から最初はマラリアなど伝染病による死者が火葬された。火葬場は現在の台北市中山区、林森公園（日本時代は三橋町といった）の辺りに建てられたが、台湾人にとって洗骨は儒教的「孝」を重視する漢人社会の象徴そのものであり、抗日意識の高まりを恐れた台湾総督府も無理に火葬を強制しなかった。

台湾の日本時代から戦後にかけて活躍した台湾人小説家の呂赫若《ろかくじゃく》は「風水《ホンスイ》」という作品で、洗骨が済んでいない父親が夢枕に立ち自分を親不孝と責める一方で、自分勝手な弟が連れてきた風水師によって腐敗途中の母親のひつぎを開けてしまう——日本の領土となってもたらされた近代意識と伝統文化の間で戸惑う台湾人の葛藤を描いた。衛生問題や土地不足で火葬が主流となった現在でも、自然な腐敗（土葬）を経た骨は「青骨」、火葬を経た骨は「熟骨」と呼び分けられている。

沖縄や奄美大島でも伝統だった洗骨

洗骨は台湾のみならず沖縄や奄美大島でも、土葬・風葬など形は違えど伝統的に行われてきた。

日本の小説家・島尾ミホの文学作品にも洗骨が出てくるが、台湾を含む漢人社会では洗骨師が皆男性なのに対し、沖縄地方では女性が担ったことは興味深い。親族や地域で共有する墓からひつぎを男性たちが運び出し、死者と最も血筋の近い女性がふたを開けて骨を取り出す。それから、白骨化した骨から皮膚を包丁で剝ぎ取り、海水と泡盛で洗い清めた後に骨つぼへ入れる。自分の親や子供を洗骨することは残酷な仕事である。このため後に起こった女性運動により1939年には火葬場が設置され、火葬が中心となった。

台湾の対岸である中国南方の福建（特に客家人地区）や東南アジア各地、遠くはブラジル、ボリビア辺りの少数民族にも洗骨の記録があるのは、古来から海洋文化の交流のなかで広がったものかもしれない。台湾で育ち熊本大学や梅光学院大学で教壇に立った先史学者の国分直一は、「日本・沖縄はもとより環シナ海では、先史時代から複葬（洗骨や移骨など、遺体に複次的な処置を施してから最終的に「祖先」として遺体を葬る）が主流であった」と言っている。確かに古代の日本人も複葬をしていた記録は存在する。『日本書紀』によると、崩御した天皇の亡きがらはすぐに地中に埋めることはなく、少なくとも1年半以上は「殯宮《もがりのみや》」に安置された。この「殯《もがり》」は天皇が崩御した際に今も行われる儀式で、冷凍保存技術もない古代において、殯宮で一定期間を経た遺体が白骨化した状態で再び古墳に埋葬されたと考えられる。

日本の国造りの神話が描かれる『古事記』の中で、死んだ愛妻イザナミノミコトを黄泉《よみ》の国まで探しに行ったイザナギノミコトが、腐乱してうじの湧く変わり果てた妻の姿を見てしまうところにも、こうした死への恐れが表される。「沖縄学の父」と呼ばれる伊波普猷《いはふゆう》は沖縄のとある島で見られた風葬は、『日本書紀』で「天稚彦《あめわかひこ》」が死んだ際に親族が毎晩のように集い酒肴《しゅこう》を携えて歌い踊った箇所を連想させるという。日本の複葬の名残は、山口県の土井ヶ浜遺跡をはじめ大分、和歌山、千葉などの沿岸部にある古墳や遺跡に残っている。

黒潮や対馬海流が流れる日本と台湾の間には、多くのつながりを見いだすことができる。あらゆる文化は古来より日本、台湾とその周辺地域に波のように寄せては返す。人の「死」の取り扱いについても例外ではない。「蘇州に卵を売りに行く」という忌み言葉も、あるいはそのひとつなのかもしれない。

2018・8・5

「蘇州賣鴨蛋」（蘇州に鴨の卵を売りに行く）という忌み言葉の由来については、後に複数の台湾の読者から、「台語」による音の近似（お墓を表す「土丘」や冥府を表す「土州」と「蘇州」の音が似ている）、死者の棺に鴨卵を入れる風習からなど幾つかの説を教えてもらった。

23 台湾和牛のルーツ？
――千年の牛、見島ウシを訪ねて

山口県萩市から40キロほど離れた見島《みしま》は、県内最北端に位置する周囲14キロの小さな島だ。この島では和牛の原型といわれる見島ウシが飼育されており、「見島ウシ産地」として国の天然記念物に指定されている。牛では他に鹿児島県口之島《くちのしま》に生息する「口之島牛」も天然記念物として指定を受けるが、飼育されているのは今のところ見島ウシのみだ。

インドをルーツとする牛がアジア大陸から日本列島へ渡ってきたのは弥生時代とも古墳時代とも言われ、農耕や荷役などの役畜として日本に定着した。その後、明治時代に牛を食べる文化が西洋からもたらされると、食用として牛の体を大きくするため外国種と交配させるようになり、そこで生まれた黒毛和種、褐毛和種、日本短角種、無角和種の4種類が現在いわゆる「和牛」として認定されている。このうち約95％を占めるのが和牛の代名詞的な存在である黒毛和種で、「松阪牛」「神戸牛」「米沢牛」といった有名な高級和牛肉はすべて黒毛和種の地域ブランドなのだ。

実は、見島ウシも明治期に外国品種と交配させる計画があった。山口女子大学元学長で農業経済学者だった中山清次氏の著書に「明治中期、見島がデボン系改良和種である島根県産種雄牛を導入し、見島牛の改良を図ったが、間もなくこの改良事業を中止して再び在来種見島牛を温存した」とある。事業中止の理由は不明だが、結果的に見島ウシは、在来種と外国種を掛け合わせて品種改良された「和牛」よりも、元々の和牛の特徴を備える奇跡的な在来種となった。

見島ウシは台湾和牛「源興牛」の祖先か

２０１７年、輸入解禁により日本各地のブランド和牛が手に入るようになった台湾では、ちょっとした「和牛ブーム」が起きている。元総統の李登輝氏が育てた台湾和牛[*1]「源興牛」のニュースが流れたのはそんな折のことだった。２０１６年に94歳で日本の石垣島を訪れた李氏は、石垣牛を口にして和牛の美味しさに感激。ぜひとも台湾の人々とこの美味しさを分かち合いたいと、台湾にもどるとさっそく台北郊外の陽明山に放牧されていた黒毛牛19頭を買い取り、台湾東部の花蓮で飼育を始めた。台湾を代表する政治家のひとりとして日本でも尊敬を集める李登輝氏だが、もともとは京都大学の前身・京都帝国大学で農業経済を学び、アメリカの大学で博士号も取得した農業経済の博士である。この黒毛牛の先祖は日本時代に日本本土から持ち込まれたものだが、李氏がＤＮＡを調べた結果、長いあいだ台湾の気候で育まれた牛たちは、黒毛和種や欧米品種から離れ「台湾の在来種」ともいえる独自性を獲得していたという。そこで李登輝氏はこの牛たちを「台湾和牛」として、新北市三芝にある生家の居所名である「源興居《ユエンシンチュイ》」にちなんで「源興牛《ユエンシンニョウ》」と名付けた。また、その源興牛のＤＮＡともっとも近かったのが、なんと見島ウシであるとも報道された。つまり萩市見島の見島ウシは、李氏が育てている「源興牛」の祖先に当たるかもしれないのだ。

見島の人々の暮らしに寄り添ってきた「千年の牛」

２０１８年７月、山口県の日本海側に位置する萩港から「おにようず」という名の連絡船で見島に向かった。鬼楊子《おにようず》は、鬼の顔を描かれた６畳分ほどの大きな凧のことで、家の跡継ぎが生まれた年の瀬に大空へと揚げるのが見島の伝統だ。幻の牛ともいわれる見島ウシに会えると思うと気分は大空に舞い上がる凧のよう。

見島の姿とともに宇宙船のような灰色の巨大なレーダー施設が見えてくる。国境の島、見島は対馬に次ぐ国防の最前線なのだと実感させられる眺めだ。古くから見島は大陸との交易の中継地点だったが、少なくとも6世紀ごろには大和朝廷から防人《さきもり》に任じられた人々がここで暮らしていたという。防人から自衛隊へ。時代が変わってもこの島の地理的な役割は変わらない。

日本全国の農村を調査し、地域文化や農業に関する著書の多い石井里津子氏は、見島の南西側にある「八町八反《はっちょうはったん》」と呼ばれる田んぼが実は6〜7世紀に作られた条理（当時の中央政府が定めた戸籍を反映させた田んぼの単位）であること、そしてこの見島の条理がおよそ1300年のあいだ元の形で残っている「奇跡の田んぼ」であることを『千年の田んぼ』（旬報社、2017年）で記している。おそらく農耕牛としてこの島に稲作技術とセットで渡ってきて以来、人々の暮しに寄り添いながら日本在来種として独自の特徴を備え、留めてきた見島ウシはまさしく「千年の牛」なのだ。

絶滅の危機を乗り越えて

見島ウシ保存会会長の多田一馬さんに案内いただき、小高い丘に広がる共同牧場でのびのびと育つ見島ウシたちに会った。1967年に33頭まで減って絶滅寸前だった見島ウシは、保存会の設立後、2018年には自然交配のみで87頭まで回復した。小柄ながらも引き締まった体つき、光沢ある漆黒の毛並みに浮かぶ潤んだ瞳が愛くるしい。逆三角形に発達した前肩をもち、棚田の多い島でも小回りが利く。性格は明敏かつ従順、とっても働きものである。また、和牛の特徴である肉質について、潮風に運ばれる塩分やミネラルがたっぷり含まれる牧草を長いあいだ食べ続けてきた見島ウシは「足の先まで霜降り」と多田さんは教えてくれた。

「足の先まで霜降り……ですか」ごくりと喉が鳴る。目のまえで声を上げるバンビのように可愛らしい子牛たちを、複雑な気分で見つめてしまった。食べている牧草のせいだろうか、牛舎に付きものの臭いがまったく感じられない。

「見島ウシによう似とるねえ！」

台湾和牛「源興牛」の写真を見た多田さんが驚きの声を上げた。角や体つきがなんとも似ていると目を見張る。国の天然記念物に指定された1928年以前は、見島で牛の市場が開かれ雌雄の対《つい》で島外へと売られていたそうで、源興牛の祖先が見島から台湾へやって来た可能性は十分にある。山口県のとなり、福岡県北九州市の門司港と台湾の基隆港が当時は「台湾航路」で結ばれてもいた。島から本土の萩に渡って門司港に運ばれ、船で台湾の基隆港に到着し日本時代には「草山」と名付けられていた陽明山に放牧されたのかもしれない。国境の島から、かつての国境の島へ。見島ウシの長い旅路に想像をめぐらせる。

見島に積み重ねられた地層が語る物語

見島ウシは島内にいる個体のみが天然記念物として扱われるため、島から出せば食用として出荷できる。年間およそ10頭の雄牛が本土に渡り、萩市内の養牛場で食用としてしばらく飼育される。食肉になった見島ウシは卸値で100グラム3000～4000円と高値で取引されるが、国の補助だけでは足りない飼育経費に充てられたあと、農家の手元に利益はほとんど残らない。また長年の近縁交配のためか年々種付けが難しくなり、頭数の少ない見島ウシで生計を立てることは至難だ。もっとも頭を抱えるのは後継者不足である。高齢化が進み、貴重な「千年のたんぼ」八町八反でも耕作放棄地が目につく。

八町八反の海側にはかつて防人を担い見島で稲作を始めた人々の眠る「ジーコンボ古墳群」がある。見島観光協会の天賀保義さんによれば、ジーコンボは元々「ジコンボ」（地公墓）と呼ばれたが、なんと「台湾語」における墓の呼び名とも伝えられているそうだ。

大爪の「おにょうず」に千年の田んぼと千年の牛、そしてジコンボ。黒潮につながる対馬海流の真上に位置する見島は、かつて多彩な文化が交錯する東アジアの海上都市だったのかもしれない。見島に残るすべてのものが、いにしえより積み重ねられた地層の物語を静かに語りかけてくる。

るようだ。

2018・11・17

＊1　日本の和牛種はオーストラリアでも数多く飼育され、海外市場でも人気だ。日本産のものを「和牛」、外国産のものを「Wagyu」と表示して区別するが、ここでは台湾での表記そのまま「台湾和牛」とする。

李登輝氏はその後、2020年に97歳で亡くなった。晩年になっても台湾和牛というテーマに取り組んだその情熱といい、台湾の人々に美味しい和牛を食べさせたいと思う台湾への愛情といい、本当にかけがえのない存在であったと改めて思う。

24

日本人のバナナ好き、ルーツは台湾にあり——歴史伝える門司港の「バナちゃん節」

門司に今も伝わる「バナちゃん節」

福岡県北九州市門司区。対岸には山口県下関市が見える。あいだを隔てる海は下関の「関」に門司の「門」をとって関門海峡と呼ばれ、関門大橋と関門トンネルで本州とつながれている。門司港が最も栄えたのは橋もトンネルもなかったころで、往年の栄華を残す街並みはいま「門司港レトロ」と名づけられ人気の観光スポットとなっている。

「門司港」と聞いてわたしがまず思い浮かべるのは、九州鉄道の始発駅として1914（大正3）年に竣工した門司港駅、そしてバナナの叩《たた》き売りである。門司港駅はオリーブグリーンの屋根にクリーム色の壁肌をもった左右対称のネオ・ルネサンス様式が美しい木造建築で、1988

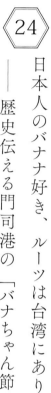

（昭和63）年、国鉄が民営化された翌年、全国で初めて駅舎として国の重要文化財に指定された。以来、いくどかの改修工事を経て2012年より保存修復のための大規模工事に入り、ついに2019年3月に開業当時の姿でよみがえった。一方でバナナの叩き売りは、地域の伝統文化として民間の団体によって保存・継承されている。叩き売りの口上をバナちゃん節といい、地域によってバリエーションがあるが、門司港に伝わる「バナちゃん節」にはしっかりと日本と台湾のつながりが織り込まれている。

春よ三月春雨に　弥生のお空に桜ちる
奥州《おうしゅう》仙台伊達公が　何故にバナちゃんに惚れなんだ
バナちゃんの因縁聞かそうか
生まれは台湾台中　阿里山麓《ありさんふもと》の片田舎
台湾娘に見染められ　ポーっと色気のさすうちに
国定忠治じゃないけれど　一房二房ともぎとられ
唐丸《とうまる》駕篭《かご》にと　詰められて阿里山麓を後にして
ガタゴトお汽車に揺すられて　着いた処が基隆港
基隆港を船出して　金波　銀波の波を越え

海原遠き船の旅　艱難辛苦《かんなんしんく》のあかつきに
ようやく着いたが　門司ミナト　門司は九州の大都会

『バナちゃん節』資料提供：門司区役所

1896（明治29）年より大阪商船が運航した「内台航路」（台湾航路）のひとつに、神戸から瀬戸内海を走って門司を経由し、台湾北部の基隆《キールン》港を往復する路線があった。内台航路の花形が、名船の誉れ高き「高千穂丸」という大型フェリーだ。造船技師の和辻春樹が設計し、室内全面に蒔絵《まきえ》や螺鈿《らでん》が施される華やかさだった。NHKの料理番組や雑誌で活躍した台南市出身の料理研究家・辛永清《しんえいせい》さんは名エッセイストでもあり、当時の船旅について著作のなかでこう振り返る。

「その頃の日本航路を走っていた船は、高千穂丸であり高砂丸であって、きらびやかな大広間や甲板のプールが楽しい豪華船だった。父の乗る船が港に入るたびに、出港前の船に乗せてもらって船内を遊びまわっていた私には、日本への船旅は、いつか私もという憧れの旅なのだった」

（辛永清『安閑園の食卓』集英社）

輸入の自由化で駆逐された台湾バナナ

基隆港を出発した船が門司港で降ろしたのは、人だけではない。日本で高級フルーツとして憧れの存在だった台湾バナナもそのひとつだ。基隆港で青いまま船へと積み込まれ、門司港に到着すると青みを残したまま陸揚げされた。当時の青果問屋には地下にバナナを追熟させるための室《むろ》があり、下から火をたいて温度を上げ、バナナが黄色くなってから市場に流通させていた。まれに船での輸送中に熟れて黒くなったり傷んだりしたバナナを無駄にしないため、港で売り切ってしまおうと始まったのが「バナナの叩き売り」である。『バナちゃん節』で客寄せをしながら口上をはさみ、値段交渉で客に畳みかけていく独特の商いは門司港の名物となった。

1942（昭和17）年に関門鉄道トンネルが開通、戦後になって1958（昭和33）年には世界初の海底トンネルが関門海峡に誕生し、門司港を経由することなしに九州から本州へと渡れるようになった。それを契機に、門司港は港としての輝きを失った。物流や保存技術が発達し、バナナを港で叩き売る必要もなくなった。

わたしの子供時代、門司に暮らす祖父母の家には必ずといっていいほどバナナがあった。房のままのこともあれば、皮をむいてアイスのように凍らせてあることもあった。夏休みのある日、祖父母の家の近くのデパートの福引で、ポータブル・オーディオ・プレーヤーが当たった。裏には小さく「Made in Taiwan」と書かれており、それを見た祖父がかつて太平洋戦争のとき台湾経由でフィリピンまで船で行ったこと、台湾で積み込まれたバナナが驚くほどおいしくて大好物になったことを話してくれた。わたしの人生で最初に「台湾」を意識した日だ。祖父の話から、あのころ祖父母の家にあったバナナをてっきり台湾産と思い込んでいたが、いま思えば別の産地のものだったと思う。その頃、日本で流通していた台湾産のバナナは非常に少なくなっていたからだ。

それにしても、かつてはバナナといえば台湾産だったのに、こんなに珍しくなってしまったのはなぜなのだろうか。世界に通用する国家ブランドとして、台湾農産品の生産と輸出強化をはかるため2016年に設立された「台農發股份有限公司」に勤め、台湾産バナナを日本へ広める営業活動を行っている内田尚毅さんに現状と展望を伺った。最大の理由は1963年に日本でバナナの輸入が自由化され、フィリピン産やエクアドル産のバナナに台湾産が駆逐されてしまったことにあるという。台湾産バナナには、農業規模が小さいために生産コストが高く、台風の影響で品質や生産量が不安定になるという難点があった。一方で、フィリピンにおいて米国の大手農業資本や日本の商社が参加して日本市場向けの農園開発が行われ、一気に日本市場を席巻してしまったのだ。2018年に日本が輸入したバナナは金額ベースで約1000億円。このうちフィリピン産が約85%を占め、エクアドル産が10%、メキシコ産3%で、台湾産はわずか0・3%だった。

台湾バナナをもう一度、日本の食卓へ

現在、内田さんは台湾中南部の雲林県で作られるバナナ品種「烏龍種」の日本輸出に取り組んでいる。台湾でバナナ産地として知られる南部の屏東や高雄でなく、雲林産であることには二つの理由がある。一つは、一般的な台風の進行ルートから外れているため被害を受けにくいこと。もう一つは濁水渓という大きな川が流れ土地が肥沃なためだ。この烏龍種バナナを育てているのが、人生のほとんどをバナナ生産に捧げてきたという蘇明利《スー・ミンリー》さん。バナナが立ち枯れたり黒ずんだりするパナマ病のリスクを減らすため、稲作で使われる土地をバナナ農園に転換するなどこだわりを持って生産している。烏龍種バナナは比較的寒さに強く、秋から春にかけて開花する。そのためじっくり果実が成長し、糖度が高く味が濃厚で光沢のあるのが特徴だ。現在は日本のスーパーにも少しずつ販路を広げ、かつて台湾バナナの代表格と言われた「北蕉」を思い出す、懐かしい味がするなど好評を得ているという。しかし、フィリピンの標高1000メートル以上の高

地で栽培されるハイランドバナナなどいわゆる最高級品と同価格帯のため、流通過程におけるコストダウンが今後の課題という。

総務省の家計調査によれば、2018年の日本人のバナナ消費量は一世帯あたり年間18キロ（約120本ぐらい）というから、日本人のバナナ好きも相当なものだ。しかし日本人がバナナを食べるようになったのは明治時代に台湾を領有して以降のことで、歴史的にはまだまだ浅い。つまり、現在の日本人のバナナ好きは台湾バナナとの出会いがきっかけになったといっても過言ではない。

毎年、門司港のお祭りではバナナの叩き売りが実演される。使われるバナナが台湾産ではないと気づいた台農發股份有限公司の内田さんは、2017年のお祭りに際し、当時のバナナ貿易の写真パネルと台湾バナナを提供したそうだ。確かに、日台をつないでいた内台航路という文脈が忘れられたいま、バナナの叩き売りといえば「台湾産」とイメージするのが難しいのは寂しい話だ。台湾が人気の旅行先として日本でますます存在感を高めている昨今だからこそ、おいしい台湾バナナが再び日本の食卓に上ることを願っている。

2019・8・4

高まる台湾と中国の対立を背景に、2021年中国が台湾パイナップルの輸入を突然禁止したことを受け、日本で台湾パイナップルが一時的にブームとなった。台湾バナナと共にパイナップルも日本との縁が深く、日本時代の高雄に日本人が缶詰め工場を作ったことで台湾でのパイナップル生産は大きく飛躍、のちに台湾人経営のパイナップル工場も増えていく。また沖縄・石垣島のパイナップル農業も台湾人よりもたらされた。日台の文化や技術が響き合い、今の台湾パイナップルの美味しさにつながっているのだ。

台湾バナナやマンゴー、アテモヤ、インドナツメ、文旦といったパイナップル以外の台湾フルーツも日本で販路を広げつつあるが、実をいえば台湾フルーツの輸出先の殆どを中国が占めており、どの農産物も台湾パイナップルのようなリスクを抱えている。そうした意味でも、日本への輸出が伸びることは台湾にとって大事なリスク分散につながるのだ。

映画・アート・本

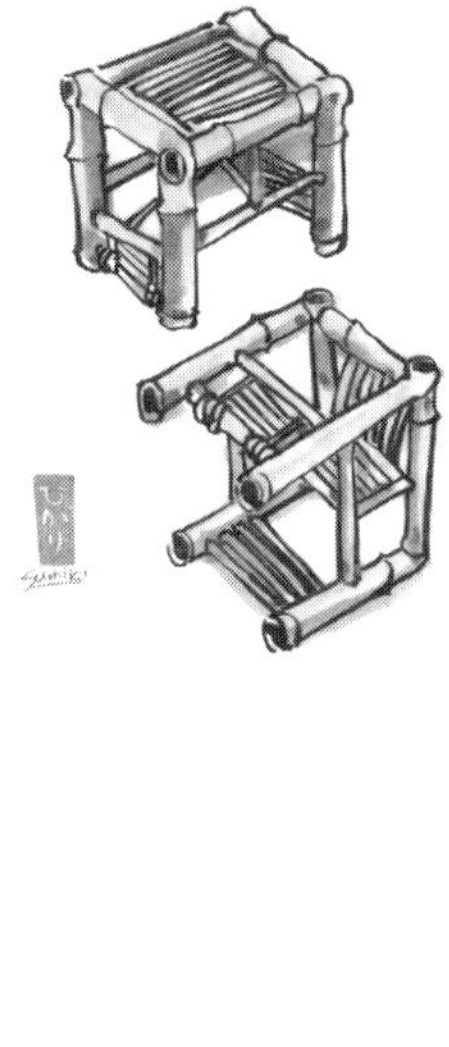

25 忘れたの？　それとも、思い出すのが怖い？
——台湾映画『返校』を観て考える、歴史への向き合い方

きちんと歴史を見つめて反省できる勇敢な国には未来がある。こんな作品ができるならば、これからの台湾もきっと大丈夫。2019年の中華圏を代表する台湾の映画賞「金馬奨」で12項目ノミネートされ、公開から2週間程度にもかかわらず次々と台湾映画の興行成績を塗り替えている驚異の作品『返校』を観終わったときの、素直な感想である。台湾発のインディーズゲームが原作となった異色の本作は、台湾の1960年代、白色テロ（市民に対する政府の暴力的な政治弾圧）の真っ最中にある高校で起こった、政府から禁じられた本を読む読書会迫害事件を描いたファンタジーホラーだ。

舞台は1962年、山の中にある翠華《ツェイファー》高校である。女子高生の方芮欣《ファン・ルイシン》が教室で眠りから目を覚ますと学校には誰もいない。荒れ果てたディストピアとなった校内をさまよううち、彼女を慕

う後輩の男子学生・魏仲廷《ウェイ・ヂョンティン》と出会い、2人は学校からの脱出を試みるもどうしても出られない。そこから2人は、かつて学校で起こった政府による反体制者への迫害事件およびその原因をつくった密告者の真相に近づいてゆく。2005年に台湾のエミー賞といわれる金鐘奨で最優秀演出家賞を最年少で受賞した、1981年生まれのジョン・シュー（徐漢強）が監督。主演のジングル・ワン（王淨）は中学生のときから小説を発表、出版もしている才女で、本作によって大注目を浴びた。

台湾では、『悲情城市』（監督：侯孝賢《ホウ・シャオシェン》／1989）『スーパーシチズン　超級大国民』（1994年／監督：萬仁《ワン・レン》）『天馬茶房』（監督：林正盛《リン・ツェンセン》／1999）以降、二二八事件や戒厳時代の白色テロをきちんと描写した映画作品が長いこと現れなかった。日本の植民地経験があり戦後の状況も台湾と似ている韓国では、光州事件を題材にとった『タクシー運転手　約束は海を越えて』（2017年）や、軍事政権下での弾圧と民主運動を描いた『1987、ある闘いの真実』（2017年）など民主運動をテーマにしたエンターテインメント作品が次々と世界的にヒットしている。そんな訳で、「韓国はできるのに、どうして台湾は二二八事件や白色テロをテーマにした商業映画が作られないのか」という議論が近年台湾で巻き起こった矢先、今回の『返校』は台湾映画が得意のホラー路線でその指摘に大いに応えたといえそうだ。

わたしが観に行ったのは公開から2週間経ってからだが、台北のほぼすべての映画館で1時間おきに上映されているとは思えないぐらいの客入りだった。ここまで台湾製の映画が大当たりし社会現象ともなったのは、霧社事件を描いた2011年の『セデック・バレ』（監督：魏徳聖《ウェイ・ダーション》）以来である。特筆すべきは、中高生など若い世代に圧倒的に支持されていることだろう。映画のレイティングがPG12（12歳以上なら鑑賞可）ということもあり、台湾ホラーブームの火付け役『紅衣小女孩1』『紅衣小女孩2』（R15）に比べて作り込みのグロテスクさや恐怖指数が低いので、怖いのが苦手な人も受け入れやすい。むしろ年齢制限を下げて子どもたちにこそ観てほしいという作り手の希望がしっかり反映されている。というのも、この作品の一番のメッセージが「今ある自由や民主、人権は元からあるものではなく多くの人の犠牲のうえに獲得したのを忘れないで」というものだからだ。

若者と改めて「自由と民主」の価値観を共有しようとする試み

最近の台湾でホラーや妖怪がブームなのは、日本でかつて明治期に柳田國男の『遠野物語』ができたように、集団的記憶を確立することによって国民的一体感をつくりだし、「台湾人とはなにか」というナショナルな心の運動を起こすことにつながっている。そのため、台湾における近ごろのエンターテインメントにおいて、台湾人意識や台湾本土目線がヒットの大きな鍵を握っているが（参考「キョンシーから台湾妖怪まで――日本視点で読み解く台湾ホラー映画ブーム」P151）、『返校』のヒットはそうした延長にある。しかし更に、歴史認識の取り扱い方が、自分たちの属する共同体の歴史の一つとして多くの犠牲者を生んだ白色テロの時代を描きだし、次世代をつくる若い人たちと改めて「自由と民主」という価値観を共有しようという試みにも思える。

近年は、愛国心と歴史認識のアンバランスさが世界中いたるところで目立ってきている。ドイツの極右勢力によるナチスの「ホロコーストは無かった」という主張のみならず、日本の極右から始まった「南京事件や慰安婦問題は捏造」という主張は伝染病のように一般的な日本人をも巻き込んでいっている現状をわたしは心より憂える。

歴史に向き合うことは難しい。そして多大な体力と勇気を伴う。国が衰え、経済的・心理的な余裕を失ってよりどころを国家に求めるようになれば、ポジティブな遺産にばかり目が向いて、後ろめたさを伴う負の遺産については忘れる、もしくは忘れたふりをしているうちにやがて思い出せなくなる。忘却は時間から人間に贈られた一つのプレゼントである。苦しく辛いことがあったとき、愛する人を失ったとき、時間と忘却は唯一の薬ともなる。しかし、その効能とは裏腹に時の権力にうまく利用されてしまうことが、多々あるものだ。それに対抗するため、簡単には答えを出さないこと、未来のためにどうするべきかをさまざまな形で問い続けることが文化や芸術の役割だろう。

近年、日本をはじめ世界中でヒットしたアニメーション作品『この世界の片隅に』（監督：片渕須直／2016）は、太平洋戦争によって徐々に奪われた暮らしへの慈しみを丁寧に描くことで、戦争の恐ろしさの忘却へとあらがった。2019年公開の、日系米国人監督によって製作されたドキュメンタリー映画『主戦場』（監督：ミキ・デザキ）は慰安婦問題を巡って左右の論客・文化人にインタビューを行いながら歴史認識を検証し異例の注目を浴びた。しかし、その後も神奈川県川崎市の市民映画祭「第25回 KAWASAKI しんゆり映画祭2019」において上映が中止されるなど、日本において歴史認識に向き合う表現はどんどん難しくなっていると感じる。

本作の中で、怪物的な国家権力の権化として出てくるモンスター憲兵の顔が鏡となって、主人公に忘却を強いるのは非常に象徴的だ。「忘れたら楽になる」「助けてやる」というモンスターの顔に映り込むのは主人公自身の顔であり、怪物の姿はひとりひとりの国民の投影でもある。忘れることによって、ふたたび同じ悲劇が繰り返されるというメッセージを映画は繰り返し発する。こうした映画が作られ、製作に公的な助成が行われていることは台湾文化の土壌の豊かさを表わすものであり、それが冒頭の感想につながったのである。台湾では今後も面白い作品が出てくるとは思うが、公的助成については、韓国映画振興委員会（KOFIC）の方法論は参考になるだろう。

韓国映画振興委員会の「多様性映画」助成の諸条件には、例えばこんなものがある。
・複雑なテーマを扱い、大衆が理解しがたい映画
・商業映画の外で文化的・社会的・政治的イシューを扱う映画

興行的な成功が見込まれる商業映画以外をきちんと公費で目配りしていくことで、作り手や業界は育っていく。多様性ある土壌が発酵して豊かさを増しやがて大きな花を咲かせるのは、ここ20年の韓国映画を見れば明らかだ。これからの台湾でどんな映画作品が生まれるのか、多いに期待したい。

2019・11・3

26 そうだ、台湾映画みよう
——中国資本に侵食される台湾エンタメ界の苦境と希望

涙が止まらずエンドロールが終わってしばらくしても席を立ち上がれない。主人公とほぼ同世代なのもあるが、映画の中に登場するエピソードの大部分が、これまで身近な台湾人たちが話してくれた昔の記憶とダブってリアリティを背負い迫ってくる。皆こうして大きくなったんだなあという感慨に加え、アニメーション産業不毛の地と言われた台湾でこんなにもクオリティの高い作品が生まれたのが嬉しくて、温かいお湯で心が満たされるようだった。

先日の「東京アニメアワードフェスティバル2018」で、コンペティションの長編部門グランプリを獲得した『幸福路のチー（原題：幸福路上／監督：宋欣穎《ソン・シンイン》／2018）』。台北郊外に実在する「幸福路」で育った一人の少女の成長を追いながら、戒厳令時代を経て民主化した現代台湾の大きなうねりを背景に「幸せとはなにか？」を描いた。

一見『ちびまるこちゃん』のようなほのぼのとした雰囲気だが、政治・社会的メタファーが各所に慎重に埋め込まれ、現代台湾史を理解するためのバイブル的な作品ともいえそうだ。主人公の声を桂綸鎂《グイ・ルンメイ》、また日本でも全国公開された台湾映画『ＫＡＮＯ』のプロデューサーで映画監督の魏徳聖《ウエイ・ダーション》も声優をつとめている。

　発表直後から受賞のニュースは台湾でも大きく伝えられたが、中でも宋監督が苦労したのが資金集めだったという記事（「幸福路上」一路走得辛苦　導演宋欣穎：拒絶中國資金／自由時報）は印象的だ。製作に掛かった総費用は6千万台湾元（日本円で約2億4千万円）。最初の資本だけでは足りず、アニメーション産業のない台湾で投資者を集めるのは困難を極めた。しかし監督は言う。

「それでも断固として中国の資金だけは受け入れなかった」

中国資本は「危険な麻薬」

『幸福路のチー』は少女の成長物語だが、同時に台湾民主化の過程に加え、多様性の受容や米中という「父権」から離れ自立を目指すような暗示も読み取られる。もし中国資本が入れば脚本や演出に大きな影響をおよぼし、現在の完成作とはだいぶ異なるものになったろう。苦境をのりこえ想い描いたとおりの作品を完成させた宋監督に拍手喝采を送りたいが、実際に中国資本は台湾エンタメ界にとって麻薬のようなもので、魅惑的な甘い汁とは裏腹にとてつもないリスクも孕む。

2014年に起こった「ひまわり学生運動」を支持したと中国のネット上で炎上し、翌年に中国で予定されていた多くのステージを取り消されたのがシンガーソングライターのクラウド・ルー（盧廣仲）。2016年には台湾の俳優レオン・ダイ（戴立忍）が「台湾独立派」とのレッテルを貼られ中国ネット世論で炎上、「自分は正真正銘の中国人」と謝罪するまでに追い込まれた。また、当時レオン・ダイが主演していた中国ドラマは、出演部分を削って放送された。

2017年の春節映画として公開された『健忘村』は、監督の陳玉勲《チェン・コーシュン》が「台湾独立派」とネットで炎上、中国での上映は早々に打ち切られ、良くできた作品だったにもかかわらず中台合作映画として史上最高額の損失を叩き出した。同じ時期、中国政府が接触を禁じた台湾の芸能人55人の名簿が北京映画界から流出、これはいわば中国芸能界の「デスノート」だとして業界は騒然となったが、結局最後までリストの中身および誰が誰にリストを流出させたのかは不明のまま不安だけが増幅された。

また中国は、台湾の映画製作者が中国の投資家から資金を募る際に、主役・準主役級の出演者に2人以上の中国人を用いなければならないなど様々な制限を設けた。中国市場での公開が条件となり、脚本や演出に当局の反感をかうような部分がないか、製作人や出演者の過去に香港・台湾独立運動に関わったり支持するような発言をしていないか厳しくチェックされる。大人しく中国側の要求に従い、政治については一切口をつぐむことで、中台のエンタメの壁はどんどん低くなっているのが現状だ。

最近は、中国政府が発表した台湾の若者や起業家を中国に呼び込む優遇政策「対台31条」が話題となっている。すぐに目立った影響は出ないかもしれないが、長期的に台湾社会の主権に多大なダメージを与えるのではないかとみる識者は多い。しかし上述したように、台湾エンタメ界においては、ゆっくりとした言論封鎖と統合がずいぶん前からじわじわと進んでいる。

台湾エンタメのすすめ

一方で、中国に忖度しない作品をつくろうという動きも盛んだ。大ヒットした2008年の『海角七号 君想う、国境の南（原題：海角七號／監督：魏徳聖）』以降は、台湾アイデンティティーの高まりに比例して「台湾らしさ」を力強く盛り込んだ映画がたくさん製作されるようになり、『幸福路のチー』もその一つといえるだろう。

近年の台湾ブームもあり様々なレベルで日本での台湾理解が進んでいる今、台湾エンタメを楽しむこともまた日台の交流や理解を深める手段となる。観たい、聴きたいという人が多くなれば、日本で配給に取り組む映画会社や映画館も増えるだろう。日本をはじめ海外での需要が広がることで、今の極端な中国マーケット依存からリスクが少しでも分散される可能性もある。台湾の自由で健康的な創造空間が維持され、さらに盛んになることを願っている。

２０１８・３・20

ここで書いた台湾エンタメの中国マーケットへの依存だが、ネットフリックスやＨＢＯといったグローバルな配信動画サービスの隆盛とコロナ禍により状況はかなり変化したので、何が吉と出るか本当に分からないものだと思う。とはいえ、国際情勢の不安定さを受けて、日本市場への台湾のまなざしが更に熱いものとなったことは確かだ。

27 台湾映画の魅力
——台湾のうしろ頭をみる

映画『ヤンヤン　夏の思い出』（楊徳昌《エドワード・ヤン》／２０００）で、８歳の主人公・ヤンヤンがカメラを手にして興味を持ったのは、周囲の人々の「うしろ頭」を撮り続けることだった。人は己れのうしろ頭を直接じぶんで見ることはできない。だから人がわかるのはじぶんの前側だけ、半分だけとヤンヤンは言う。

２０００年にカンヌ映画祭で監督賞を取った『ヤンヤン　夏の思い出』は監督の自叙伝とも言われているが、侯孝賢と共に台湾ニューシネマを代表するエドワード・ヤンが、主人公を通してフィルムに焼き付けた「うしろ頭」とはいったい何だろうか。

わたしが台北で暮らしている13年のあいだ、台湾もずいぶん変わったでしょうと問われると答えに詰まる。驚くべき移り変わりを遂げている面があるのは間違いないけれど、まったく変わりばえしないことも多い。

例えば、日本でひと月ほどの夏休みを過ごして台北にかえってきたら、よく前を通っていた〝鬼屋（おばけやしき）〟が塀だけのこして跡形もなくなっていた。総統府まで真っすぐ延びる台北の目抜き通り、『藍色夏恋（原題：藍色大門）』（易智言《イー・ツーイエン》／2002）で桂綸鎂《グイ・ルンメイ》と陳柏霖《チェン・ボーリン》が自転車で風をきった仁愛路沿いの警察署のわきにあった。戦後間もなく建てられたらしい木造建築は、白い壁に緑色の窓枠が嵌めこまれ黄色い瓦屋根のなかなか瀟洒な屋敷で、周囲がつぎつぎにビルへと建て替わるなか無人の平屋が取り残されているのはいわくありげで奇妙だった。取り壊しの計画があるたびに事故や不具合が重なったとか、好奇心から忍び込んだ若者たちの写真に絶対なにかしら写りこむとかいろんな噂があった。隣の警察署で働くひとたちが厄除けの数珠を身につけているらしいとも聞いた。屋敷の正面には蓮霧《レンブ》の大木があり、実りの季節にはツヤツヤと青くちいさな果実をきまって大量に歩道へ落した。通りがかりにウッカリ踏んづけてしまったときのグシャリという感触は、なんとも気味がわるかった。

夏休みがあけ、近所の小学校の保護者や生徒たちが登下校をはじめた。鬼屋がなくなったことに注意をはらうひとは誰もいなくて、ずっと前からそんなものは無かったように通りすぎる。夏の太陽にやけた肌は薄皮がむければまた前の色にもどるが、街はいつのまにか表情をかえたまま、もう元にはもどらない。

台湾の変化とは、つまりそういう感じだ。変わった翌日にはもう昨日がどうだったのか思い出せない。すました表情で移ろい、ささやかに姿を変えていく台湾の街を歩いていると、なにか忘れ物をしてきたような気持ちになる。

エドワード・ヤンも、そういう気持ちで『ヤンヤン　夏の思い出』を撮ったのではないだろうか。主人公ヤンヤンの父親を演じる呉念真《ウー・ニエンチェン》をはじめ、登場人物によって幾度か繰りかえされる象徴的なシチュエーションがある。部屋に戻ったりエレベーターを降りて誰かと会ったり言葉を交わすうちに、じぶんがそこに来た理由を忘れるのである。

「あれ、何のためにここへ来たんだっけ？」

思い出せないまま映画は次のシーンへと進む。そのセリフは、前だけをみてきた台湾社会のメタファーに思える。

１９４５年に太平洋戦争が終結し、引き揚げていった約30万人の日本人と入れ替わるように、国民党政権の軍人や政府関係者が中国大陸から台湾へとやってきた。その後、国共内戦に敗れた蔣介石率いる国民党が台湾へ臨時政府を遷したのが１９４９年。おりしも１９４７年に勃発した二二八事件の余波で台湾全土は戒厳令下へはいり、後に白色テロと呼ばれる政治弾圧で多くの人が亡くなった。高度経済成長を経て世界最長と呼ばれる戒厳令が解除されたのは１９８７年だが、それからわずか30年たらずで台湾は大きく動いた。男女格差の指標となるジェンダーギャップ指数では日本と驚くほどの差をつけ、報道の自由や社会の幸福度においてもアジアでトップをひた走る。同性婚に関しても今年のうちに立法化が見込まれており、セクシュアリティやエスニシティを含む社会的多様性においてアジアでもっとも先進性を持つほどに変化した。

今の台湾で、「自由」や「民主」は当たり前になり、そのために命をかけた数知れぬ人々の姿があったことに思いを馳せる機会は日常のなかで多くはない。台湾の複雑なメタモルフォーゼの影でその時々の社会状況で闘い、押し出され、流され消えていった多くのもの。それが台湾の「うしろ頭」の正体とすればどうだろう。ヤンヤンがカメラに収めたように、それらをフィルムに蘇らせたものが「台湾映画」なのだと、いえるかもしれない。

不朽の名作『悲情城市』（侯孝賢／1989）から『超級大国民』（萬仁／1995）、『天馬茶房』（林盛正／1999）今秋に日本でも公開予定の話題のアニメーション作品『幸福路上』（宋欣穎／2018）は、いまだ台湾社会のなかで取り扱いの定まらない二二八事件や白色テロの暗い時代を描きだした。学生たちが自らの手で民主を勝ち取った1990年の民主運動・野百合学生運動を背景にした『GF＊BF』（楊雅喆《ヤン・ヤーチェ》／2012）では制服スカート着用が当たり前とされてきた女子学生がズボンという選択肢も獲得した過程が描きこまれる。また『満月酒』（鄭伯昱《ツェン・ブォユー》

／2015）、『日常対話』（黄惠禎《ファン・ホェイツェン》／2017）、『自画像』（陳宏一《チェン・ホンイー》／2017）などセクシャル・マイノリティについての優れた作品が次々と生まれ、さらに『阿莉芙』（王育麟／2018）ではそれらにエスニック・マイノリティというテーマも加わった。

台湾映画がもつ自由さと豊かさは台湾の複雑な履歴から生まれた、かけがえのない多様性がきらめく宝石箱なのだ。しかし一方で、中国による台湾への統一政策が粛々と進むにつれ、中国の莫大な資本と市場とを引き換えに台湾映画が表現できる世界が目に見えて狭まっているようにも感じられる。

記録されたものだけが、記憶される。

2007年に59歳で惜しまれてこの世を去ったエドワード・ヤンが「ヤンヤン」のレンズに託したもの。それは変わってゆく台湾の、世界の刹那を忘れないために、映画を撮り続けることだったかもしれない。

「うしろ頭」を撮るとはつまり台湾が進む方向へ、カメラも観客も共に身体を向けることである。「うしろ頭」越しにみえる未来。そこにはこれから、どんな景色が広がっていくのだろうか？

2019・3・30

28

金馬奨《チンマージャン》とはなにか
――近年の金馬奨授賞式をとおして考えたこと

昨年2020年の第57回金馬奨授賞式はわたしにとって、幸せ感あふれるセレモニーだった。ノミネートされたのは愛おしい映画ばかり。どの作品の誰が受賞しても嬉しく、膨らんだ風船が青空いっぱいに上がるような晴れ晴れとした気持ちで台湾映画にかかわるすべての方々に敬意と感謝の気持ちを抱いた。

『一秒先の彼女』という邦題で日本公開された『消失的情人節』も、作品賞・監督賞・脚本賞・視覚効果賞・編集賞の五冠を達成。2年ほど前に本作をクランクアップしたばかりの陳玉勲《チェン・ユーシュン》監督にインタビューしたとき、「新作は『ラブ ゴーゴー』（1997年、同監督）みたいな映画になるよ。あと、東石（『熱帯魚』（1995年、同監督）の舞台）でも撮った」という陳監督の表情に原点回帰への深い満足感と手ごたえが感じられ、絶対にいい作品になるだろうと期待していた。蓋を開けてみたら想像以上の素晴らしい作品だったうえ、金馬でも名実ともにその良さが認められたことも、いっそう嬉しかった。本誌（ユリイカ）のためのインタビューでも語られたように、台湾映画と共に歩んできた陳玉勲監督のこの20年は映画人として決して恵まれたものではなかった。『一秒先の彼女』未見の読者のために少しばかり解説を試みよう。

郵便局に勤める楊曉淇《ヤン・シャオチー》は、人より何でも一テンポ早い、あまりイケてない女の子。ある日、公園で広場ダンスを教えているインストラクター男性に一目ぼれしたシャオチーは、台北市の主催する七夕イベント（七夕は中華圏のバレンタインデーで〝恋人たちの日〟にあたる）にインストラクター男性と一緒に参加する約束をする。イベントを心から楽しみにしていたが、朝、目が覚めると七夕当日の記憶がまったく抜け落ちていることに気づいてパニックにおちいる。そのうち郵便局にいつも切手を買いに来る、人より何かにつけて一テンポ遅い「変人」男・阿泰《アータイ》とシャオチーの「消えた一日」との、驚くべきつながりが明らかになるという、記憶と時間をめぐるファンタジー・ラブ・コメディである。シャオチー役を演じた李霈瑜《リー・ペーユィ》も映画初出演と思えないぐらい達者なお芝居を見せてチャーミング、また近年の台湾映画界で引っ張りだこの劉冠廷《リュウ・グアンティン》演じるアータイの変人っぷりも激烈なキュートさを放っている。

陳玉勲作品を観て思い出すのが60〜70年代の赤瀬川原平にみられる前衛芸術とか雑誌『ガロ』におけるつげ義春などの漫画である。ナンセンスとユーモア、観察、発見、皮肉、そして甘酸っぱさ。現代社会へのアイロニーを手品のように、またはキャンディーを紙包みにくるむように差し出す、愛すべきポップなインスタレーション作品。今回の『一秒先の彼女』はそうしたテイストがより顕著だ。観終わって映画館から街に一歩踏み出せば、台北の街をゆく人々が映画の登場人物みたいに感じられる。映画世界がスクリーンを超えて現実世界にはみ出してしまうような仕掛けが丁寧に施された、エキサイティングな観賞体験である。

一方で、ネタバレになるので多くは語れないが、#MeTooをきっかけに世界的なムーブメントになっているジェンダーについての問題を孕んでいることも確かで、これについてはインタビューでも監督に尋ねた。ジェンダー問題に積極的な関心を抱くものとして古今東西の恋愛物語が踏襲してきた「お姫様は王子様のキスで目を醒ましました」式のクリシェに支えられる喜劇や恋愛物語が、そのステレオタイプな構造をいかに意識し自由になるべきかという課題をも痛切に感じさせられた作品でもあった。とはいえ、それは今後の作品にどう生かされるかを注視していくべきで、そのことで本作の魅力が相殺されることにはならないとも思う。

金馬奨の話題に戻る。

2017年の春節映画として公開された陳玉勲監督の前作『健忘村』は、「ひまわり学生運動」を支持していたという理由から監督が台湾独立派だとネットで炎上、中国での上映は早々に打ち切られ、中台合作映画として史上最高額の損失を叩き出し大変な騒ぎになった。今回の監督インタビューによればそれは事実ではなく、むしろ失敗の原因は中国マーケットの複雑さにあったというが、戴立忍《ダイ・リーレン》の謝罪事件など（日本でも２０１６年に水原希子が中国のネットで炎上し謝罪する出来事があった）、台湾エンタメ界が慢性的な中国ファクターの影響とカントリーリスクを抱えてきたことは否めない。そんな挫折を乗り越えて、陳玉勲監督が『一秒先の彼女』で金馬奨のレッドカーペットに戻ってきたことには、涙が出るほどの喜びがあった。

台湾青春映画の金字塔『藍色夏恋』の易智言《イー・ツーイエン》監督の長編アニメーション賞受賞にも感動させられた。陳玉勲監督インタビューにもある通り、２０００年前後は台湾映画の不毛時代で、台湾で製作された映画は一年に数本。そんな時代から今にかけて生き残っている同時代の監督は陳玉勲、そして易智言だけだ。そんなふたりが20年の時を乗り越えて同じ金馬奨でそれぞれ受賞し、ふたりの長年の戦友のようなプロデューサーの李烈《リー・リエ》も涙を流している。プレゼンターはなんと『藍色夏恋』コンビの陳柏霖《チェン・ボーリン》と桂綸鎂《グイ・ルンメイ》という粋な計らいで、なんだか台湾映画の歴史の紆余曲折を感じて鼻の奥がつーんとした。

そもそも１９６２年より始まった金馬奨とは、当時、中国との両岸冷戦下で最前線だった「金門」と「馬祖」の一文字ずつを取って、大陸の影響下に縛られない中華文化の発展というコンセプトかつホーロー（台語《タイユイ》）語全盛の台湾映画界の中で「國語」（北京官話）で作る映画人を応援する賞として設立された。毎年この時期に開催されるのは蔣介石の誕生日祝いも兼ねていたという、非常に中華民国的な催しでもある。後に広東語も受け入れるようになると香港映画で盛り上がり、また両岸関係の変化に伴って中国映画にも門戸が開かれるようになって、中華圏における華人映画最高の名誉との呼び声も高い。

転機は2018年、ひまわり学生運動をめぐっておきた社会運動と普遍的価値観との矛盾を描いたドキュメンタリー映画『私たちの青春、台湾（原題：我們的青春，在台灣）』が、最優秀ドキュメンタリー賞を受賞したことによる。問題は映画そのものではなく、檀上に立った傅楡《フー・ユー》監督のスピーチだった。中国から来た映画人が多く居並ぶなか、半ば絶叫のように「いつか私たちの国家が真の独立した個として見られること、これが台湾人として生まれた私にとって最大の願いです」と言って締めたのである。スピーチは現場で満場の拍手をもって迎えられた。その年の授賞式はわたしも会場にいたので、その盛り上がりと興奮はよく覚えている。

その後、中国人ゲストらがそれに猛反発し受賞後のパーティーをボイコット、この年の審査委員長だった中国の鞏俐《コン・リー》も欠席した。翌年からは中国最大の映画祭「金鶏奨《チンヂージャン》」を金馬と同じ日に開催することで、実質的に中国からの金馬参加が不可能になった。このあたりの事情は、長年台湾映画をフォローし日本に紹介してこられた映画コーディネーターで、アジアンパラダイス主催の江口洋子さんに教えていただいた。

台湾でも傅楡監督の発言について「あんなことは言うべきではなかった」「政治は政治、映画は映画に帰するべき」など揉めに揉めた。いくら政治が対立しても、台湾と中国のあいだで映画文化を通して製作者や技術者の交流が行われ価値が共有されていくこと、台湾映画が中国マーケットに受け入れられることで台湾への理解が広がる（かもしれない）こと、中華圏映画の最高権威としての金馬が台湾で行われることで台湾の正統性や価値が高まることなど、中国の不参加で失われるものは大きいとの声もあった。

それは一理あるし理解もできる。でも台湾映画にとって、中国の参加がほぼなくなったことは結果的に良かったというのが、昨年の授賞式を見ながら深く感じいったことだ。理由はいくつかある。

一番大きな理由は、台湾映画界と社会のあいだに一体感が生まれたこと。そもそも台湾人自身がこれまで余り台湾映画に興味を持ってこなかった。80～90年代の台湾ニューシネマは世界中の映画ファンに台湾映画の存在をアピールした反面、難解で娯楽性に欠けるといって台湾の観客は離れてしまい、2000年前後の不毛時代につながる。長いあいだ台湾人にとっては映画を観に行くといえばハリウッドの娯楽作だったし、台湾映画はつまらないという偏見はいまだにある。

2008年の『海角七号 君想う、国境の南（原題：海角七號）』以来、年毎に高まる台湾アイデンティティーに共鳴するように、ホーロー語が多用される本土意識の高い作品に共感する観客や、ジャンル映画の発展で台湾映画を観る人口も明らかに増えた。2011年には「日本語」「セデック語」が主な『セデック・バレ』が多くの賞を受賞するなど多様化が進むなか、近年は巨大な中国資本・マーケットへの距離の取り方と台湾映画界の独立性および政治的な不公平感がぬぐいきれず、受賞作品の選定方法についても物議が醸されてきた。

しかも、最近の中国映画はやっぱりすごい。マーケットの規模や資金力、人材の厚みが今やハリウッドに近づき、台湾とは（というか日本とも）桁違いなのである。時代考証の深さといい技術力といい、台湾でこれを作れと言われても無理だし、そうした規模で完成度の高い華語映画がボコボコできてくれれば金馬奨の受賞作品が中国勢だらけになっても仕方がなく、実際に2018年以前はその傾向があり、新聞でも「〝金馬〟は〝金鶏〟になった」と批判された。多くのスターが出て華やかにテレビ放映され注目される金馬奨だからこそ、台湾映画が賞を獲れば「じゃあちょっと観に行こうか」という気持ちにもなる。でも、ノミネートされても賞を獲るのが結局は中国映画ばかりになれば、「やっぱり台湾映画はだめなんだ」と台湾の観客は思うだろうし、とくに台湾本土意識の強い人は「しょせん映画業界なんて〝外省人〟の世界だから」とひねくれてしまう。台湾映画の省籍問題は、かなり長いあいだ台湾映画を社会的に分断してきた。

しかしこれに関して言えば、侯孝賢《ホウ・シャオシェン》や王童《ワン・トン》、王小棣《ワン・シャオディー》といった戦後の外省系1・5世、2世らがプロデューサーとして陳玉勳や易智言といった監督を生み、彼らも台湾藝大や北藝、Q-Place植劇場といった若手の育成に励める場をつくり、そこから多くの新人監督や若手俳優が育っている。国民党の偉い将軍を父親にもち外省人1・5世ともいえる王童監督（王小棣監督も同じような背景である）が、「自分もまた台湾人であり、作っているのは台湾映画」と昨年のインタビュー時に語ってくれたように（『バナナパラダイス』パンフレットに掲載）、実はとっくに省籍関係なく「台湾映画」の歴史は脈々と作られている。

もうひとつ、昨年はコロナ禍を抑え込んだことで世界的にも台湾が注目され、台湾人アイデンティティーが強まったことも影響している。金馬奨委員長のアン・リー（李安）も、昨年の台湾のコロナ対策の頑張りについて挨拶で触れて会場は大いに沸いた。確かに皆マスク着用義務があるとはいえ、あんなにも大規模なセレモニーが普通に行われていたのは当時、世界で台湾だけだった。台湾研究者の若林正丈先生いうところの「防疫共同体」、ならぬ「台湾文化共同体」とも言えそうな、みんなで作る／みんなで盛り上げていく台湾映画という雰囲気が、作り手と受け手のそれぞれにできたような授賞式であった。

しかしそれでも、台湾文化はナイーブな顔を持っている。強大な中国の映画業界と駒をぶつけるように戦わせても、はじかれて生傷だけを深くする、だからしっかりと労わる必要があるのだ。その意味で、『孤味』『親愛的房客』の主演・助演の二冠という快挙を成し遂げた81歳の名女優、陳淑芳《チェン・シューファン》の授賞コメントは心に残った。陳淑芳はかつての台湾語映画の時代を経て、『悲情城市』をはじめとする侯孝賢作品のほか、『クーリンチェ少年殺人事件（牯嶺街少年殺人事件）』などで日本でも多くのファンを持つエドワード・ヤン（楊德昌）の『台北ストーリー（原題：青梅竹馬）』にも出演し、台湾映画の生き証人ともいえる存在だ。陳淑芳曰く、「そして（台湾の）投資者に感謝します。台湾の監督、俳優、スタッフみな素晴らしい。台湾から流出させてはいけない」。

じつに実感のこもったコメントだ。映画クリエイターが自分の創作世界を実現させるために資金は無くてはならないが、そのことで台湾映画が痛めつけられるリスクは限りなく大きいことも分かってしまった。だから投資者はなるべく台湾のなかで見つけること。つまり台湾消費者の支持が大前提となる。今しばらくはこのまま、台湾の観客の幅広い共感を得ながら、台湾映画をじっくり大事に育てる時期なのだろう。あれだけ世界中で売れている韓国映画だって、一番観られているのはやっぱり韓国国内においてなのだ。そして多くの方がご承知のように、映画の規模や完成度と、その映画が好きで個人の人生において大切な作品となるかどうかは全く別物であるだろう。

最後に、金馬奨にはもうひとつ大きな意義ができた。シンガポールやマレーシアといった東南アジアのマイノリティをテーマにした映画について、金馬奨が世界への窓口となっていることだ。実際、最優秀新人監督賞を受賞した張吉安《チャン・ジーアン》監督『南巫《ナンフー》』は、コロナ禍のため台湾で世界初のロードショーとなった。『南巫』という作品自体もまた、台湾と同じく多様な文化の混ざり合ったマレーシア文化の中に生まれた作品であり、台湾という場所がもつ価値観が見出した作品とも言える。さらに、香港や中国でメジャーから締め出された出品作に対しても金馬奨は門戸を開く。もし以前のように中国の映画人が運営に関われば、映画人本人の意思とは関係なく政治的な意味を持つ／持たされることは間違いない。これらのことから台湾映画のみならず、東アジア・東南アジアのマイノリティ映画や映画人をエンパワメントする台湾最大の映画賞という価値を、金馬奨が担っていくことも期待できる。

未来はどうなっていくか分からない。しかし今しばらくは、台湾の複雑な歴史性と風土を作り手も受け手も大切に受容しながら、『親愛なる君へ（原題：親愛的房客）』の主演で最優秀男優賞を受賞した莫子儀《モー・ズーイ》による受賞コメント「致自由、致平等、致天賦人權。致電影、致創作、致生活（自由、平等、天から与えられた人権と、映画、創作、生活に敬意を表します）」という言葉を胸によりよい創作とよりよい明日を目指す、それに尽きるのかもしれない。台湾社会が摑み取ってきた進歩的な価値観とは、過去を認識し、また香港の状況を間近にみながら人権や自由が「空気のようにあるものではない」という自覚のうえに成り立っていく。しかし毎日のように台湾社会が受けている情報戦や経済・心理面での見えない中国ファクターによって、こうした価値は当たり前の空気のように忘れられる可能性と常に隣り合わせである。

金馬奨とはなにかを考えるのは、台湾とはなにかを考えることであり、それが金馬奨を観る面白さとも言える。

そして台湾映画の特殊性と魅力とは、台湾アイデンティティー、いわゆる国民国家的な意識やローカルへの視点が高まれば、映画のテーマや問題意識はジェンダーやセクシャリティ、エスニシティや風土など様々な文化に跨って普遍的な価値観を見出していくことにあるとわたしは思っている。そうした意味で、もともと「大陸の影響下に縛られない中華文化の発展」というコンセプトで始まった金馬奨は、今また原点、というよりさらに進化した「台湾」という原点に回帰した。その名称が、近代においては日本の植民地下になく、また中華人民共和国の領土になったことのない「金門」「馬祖」というふたつの「純粋な中華民国」の名前を持つのが皮肉というか、枯れることのない泉のように台湾を知ることへの欲望が湧き上がってくる所以なのである。

2021・7・28

29
80年の時を超え、台湾と日本を結ぶ一枚の絵

「嘉義公園」２００２年／クリスティーズ香港／落札価格５７９・４万香港ドル（約７６００万円）
「淡水」２００６年／サザビーズ香港／落札価格３４８４万香港ドル（約４億６０００万円）
「淡水夕照」２００７年／サザビーズ香港／落札価格５０７３万香港ドル（約６億６０００万円）

いきなりお金の話で恐縮である。芸術の真価をひとつの尺度で計ることは難しい。しかし「モノ」の価値を語ろうとする際、時に最も説得力をもつのが値段であることもまた事実だ。これらは近年国際オークション市場に出品された、日本時代に活躍した台湾の洋画家・陳澄波《ちんとうは》の作品である。そして最近、数億円の価値を持つ陳澄波の油絵が山口県防府市にある小さな図書館で突如見つかった。どうしてその絵は、この場所にあったのだろうか？

事の起こりは2015年だった。

山口県防府市に住む元・龍谷大学教授の児玉識《こだましき》氏が、郷土出身の政治家で第11代台湾総督の上山満之進（1869－1938）について調べていたところ、上山ゆかりの山口県防府市立防府図書館の倉庫から「陳澄波」と署名の入った古い油絵を見つけた。

作品の名は「東台湾臨海道路」。児玉氏の著書『上山満之進の思想と行動』にもあるこの絵は、海に面した断崖絶壁が長く延び、山の中腹には1932年に開通した台湾の東海岸に位置する花蓮の「蘇花公路」が描かれている。さらに原住民族らしき親子が手をつないで歩いており、海には原住民の小舟が浮かんでいる。木製の額縁にも、大きな特色がある。どうやら台湾・蘭嶼《らんしょ》島に暮らすタオ族の舟の木材を用いたとみられ、表面にはタオ族の意匠が彫り込まれている。

2016年の9月2日、上山の親族・上山忠男氏を中心に、山口県立大学の教授や学生、防府市の有志らによる日台友好訪問団が嘉義を訪れ、二二八事件で命を落とし悲劇の画家と呼ばれる陳澄波の長男で、陳澄波文化基金会理事長の陳重光氏やその遺族と対面した。行方が分からなくなっていた陳澄波の作品が発見されたことを踏まえ、その絵の今後を考えながら日台交流の強化につなげようと訪問団が組まれたのだ。今回の訪問で、行方不明になっていた父親の作品が日本で発見されたことへの感慨を問われた陳重光氏は「再び父に巡り会えたような気持ちだった」と語っている。

陳澄波は日本時代を中心に日本や台湾、中国でも活躍した、台湾を代表する洋画家である。出身は台湾南部の嘉義市。最近日本でも話題となった、甲子園初出場で準優勝した嘉義農林学校野球部の物語を描いた台湾映画『ＫＡＮＯ』の舞台となった街だ。陳澄波のほか林玉山《りんぎょくざん》など著名な芸術家を多数輩出した美術の街でもある。

東京美術学校（今の東京藝術大学の前身）に学び、台湾人画家として初めて帝国美術展覧会（帝展）に入賞（台湾人芸術家として一番最初の帝展入賞者は、彫刻家の黄土水）。台湾人差別のため内地や台湾で美術教師の職を見つけることができず、中国・上海に渡ったが、日中戦争の激化とともに台湾に戻り、「淡水」など台湾の美しい風景を多く描き残した。しかし戦後、日本から台湾を接収した国民党政府の下で勃発した二二八事件に巻き込まれ、１９４７年、52歳の若さで銃殺された。戒厳令下の台湾では長らくその存在が伏せられてきたものの、民主化とともに再評価が進み、その悲劇性と郷土愛を感じさせる作風で冒頭に挙げたオークション価格を記録するほどの爆発的な人気となった。嘉義では毎年、陳澄波の誕生日にあたる2月2日を「陳澄波の日」と定めている。街の至る所で彼の絵の印刷物や名前を目にするほど陳澄波は嘉義市民、さらには台湾人から親しみと尊敬を集める存在だ。

幻の絵「東台湾臨海道路」の行方

陳澄波が上山満之進の依頼を受けて描いた作品が山口県の防府市で発見されたことは、台湾でも話題となった。幻の絵をぜひともこの眼で見たいと考えたわたしは、２０１６年の春、一時帰国の際に防府図書館を訪れた。しかしすでに絵はそこに無く、２０１５年12月、福岡アジア美術館に10年契約で寄託されたとのこと。理由は、これほど貴重な絵を保管できる施設が県内にないからだという。確かに防犯設備が行き届いた美術館や博物館ならいざ知らず、一般の市民が通う公立の図書館が、「盗難などに遭おうものならエライことだ」と過剰反応しても無理からぬ。

しかし防府市には毛利博物館や天満宮の宝物館があり、山口県内にもいくつか美術館はある。それらと連携して、一時的にそこに保管している間に今後の取り扱いを検討する余地はなかったのだろうか。突如として福岡移送が決定された、そんな印象は拭えなかった。防府図書館の前身「三哲文庫」は、上山満之進が生まれ故郷の文化育成を目的に、私財を投入して建てた地域の図書館である。戦後は「三哲文庫」から「防府市立防府図書館」へと名前をかえて今に至る。今回の絵も、上山満之進より図書館へ寄贈された物の一つだ。かつて三哲文庫を撮った写真には、読書する子どもたちを静かに見守る「東台湾臨海道路」の姿がしっかりと写り込んでいる。

地元・山口の人もあまり知らないが、山口県と台湾の関係は非常に深い。19人いる台湾総督の中で、児玉源太郎はじめ、実に5人までもが山口県出身者である。また現在、台湾で主に食べられている蓬莱米を生んだ農学者の磯永吉は引き揚げ後に山口県の農業顧問となった。台湾民俗研究に大きく貢献した先史学者の国分直一も晩年は山口県で教鞭を執り続けた。台湾最初のデパートである台北の菊元百貨店を創業した重田栄治、今も人気の観光スポットである台南の林百貨店の創業者・林方一も山口県人だ。そして、そもそも山口県下関市は清が日本への台湾割譲を決めた下関条約を締結した場所でもある。わたしも山口で育ったが、10代後半で山口を離れた後、長らく台湾にも地元の山口にも大した興味を持たずにきた。台湾と山口にこんな浅からぬ縁があると知ったのは恥ずかしながら最近のことで、以降、山口への愛着がより湧くようになった。郷土に対して愛情を持つには、その地の歴史や物語を知る必要がある。土地への愛とは、先人の抱いていた思いや願いを未来へとつなぐ作業だと改めて感じる。

上山満之進の台湾愛と陳澄波の郷土愛が生んだ絵

上山満之進が台湾総督を務めたのは、1926年から28年のわずか2年だが、その仕事は今日でも台湾社会に影響を及ぼしているものが少なくない。例えば、上山が在任中に設立に尽力した台北帝国大学は、現在も台湾の最高学府として陳水扁や馬英九、蔡英文ら歴代総統の出身校「台湾大学」の前身であり、建物のほかにシステムや知的財産もそのまま引き継がれている。注目すべきは、上山が台湾の原住民文化に対し強い関心を示していたことだ。その証拠に、防府図書館内にある上山満之進の資料室には、台湾総督時代に原住民居住地に何度も足を運んだことを記した新聞記事が多数展示されている。

また総督を退いた際、慰労金を投入して台北帝大に依頼した原住民族研究は、『台湾高砂族系統所属の研究』と『原語による高砂族伝説集』という学術書に結実している。日本時代から戦後の国民党統治にかけて多くの原住民文化が失われてしまったものの、せめて研究資料を未来へ残そうとした上山の思いの深さをうかがえる。上記の書物を編むための資金の一部で、上山は陳澄波に台湾時代の思い出となる絵の制作を依頼した。それが今回見つかった「東台湾臨海道路」だった。

依頼した絵の第一のテーマは「原住民」だったのではないだろうか。陳澄波が生まれた嘉義も阿里山山脈の麓にあり、山に住む原住民との往来が盛んな地である。今回の訪問団の世話人である山口県立大学の安渓遊地《あんけいゆうじ》教授は、「絵の中に描かれた東台湾の臨海道路は１９３２年に完成した花蓮の蘇花公路と思われ、年代的に上山はその建設計画に関わっている。道なき道の上に暮らしていた原住民の生活を大きく向上させた上山総督への敬意をこめて、陳澄波はあの絵を完成させたのではないだろうか」と想像している。陳澄波文化基金会が開催した交流パーティーには嘉義市の文化局長・黄美賢氏も出席し「絵を通して防府市との友好関係が深まり、多くの市民が行き来して交流が発展することを希望する」と語った。

これに対し上山忠男氏も、「上山満之進はあの絵を大切に東京の書斎に掛け、後に三哲文庫に飾らせた。在任期間は短くとも台湾に熱い思いを持っていた。今回の訪問で、陳澄波もまた故郷を愛したことがよく分かった。この絵を元に、上山の故郷・防府と陳澄波の故郷・嘉義との交流を礎として日台の交流が進む。これが上山の願いに沿うものだと思うし、その第一歩としてまずは絵が防府に帰ってきてほしい」と応じた。上山忠男氏が福岡アジア美術館に確認したところ、10年契約ではあるが、簡易的な修復後に一度展覧会ができれば返還に応じるという。また防府市内の毛利博物館も、市の財産として絵の保管を受け入れる旨を表明しており、陳重光氏も上山忠男氏の「一日も早い防府市への返還を」という願いに賛意を示した。

上山満之進と陳澄波によって生み出され、原住民の生活改善への希望と願いが込められた作品「東台湾臨海道路」が、80年の時を超えて再発見されたのが2015年のことである。そして翌年8月に新たに就任した蔡英文総統が歴代の政府を代表して「台湾という土地の元々の主人である原住民が長いあいだ差別されてきたこと」を謝罪するという歴史的な一幕があった。何とも不思議な巡り合わせではないだろうか。

防府図書館にかつて掛けられていた「東台湾臨海道路」に接していた市民は、地元の「富海《とのみ》」の海岸地帯を描いたものだと思い込んでいたらしい。わたしも富海を訪れたことがあるが、なるほどよく似ている。陳澄波がまさかそのことを知っていたとは思えないが、この世には理屈では説明できない「縁」というものがたしかにある。2011年の東日本大震災において台湾から日本に贈られた巨額の義援金をきっかけに、日本人が親しい隣人としての台湾に改めて気づき、テレビでも毎日のように台湾のことが話題に上る「台湾ブーム」とも言えそうな時代になった。しかし本当は、台湾と日本との関係は今に始まったことではなく、多様な関わり合いの歴史が今もさまざまなかたちで残されている。もしかすると、これからも別のどこかで似たような「発見」があるかもしれない。

2016・11・3

この「東台湾臨海道路」はその後、関係者の努力が実って10年の契約終了を待つことなく福岡アジア美術館より山口県防府市へと戻り、現在は山口県立美術館で保管されている。2021年には、台北の北師美術館で開催された、台湾近代美術をテーマにした「不朽的青春――台湾美術再発見」展にて、初めて台湾への里帰りを果たした。

30 日本の民芸運動に影響を与えた台湾竹工芸

「恐らく世界の何処《どこ》を探しても滅多にあるものではなく、工芸の村として吾々が頭で考えている一つの理想に近いものが、この世に実在している」[*1]

日本民芸運動の父と呼ばれ、日本を代表する思想家の一人である柳宗悦《やなぎむねよし》は、1943年の台湾視察で竹細工を作る村を訪れたときの驚きをこんな風に書き記している。日本統治下の朝鮮で目にした朝鮮陶磁器に魅せられた柳は、鑑賞用の美術品ではなくその土地に暮らす人々が風土に合わせて創意工夫を凝らした日用品にこそ美しさが宿るとし、「用の美」と呼んだ。柳の目に映った台湾の竹工芸はまさしくその「用の美」を体現したものだったのだろう。

割る、裂く、曲げる、組む、編む。風に吹かれサワサワと音を立てる竹林が、人々の暮らしに合わせてしなやかに姿を変える。扇、茶道具、筆、傘などの小物から、農具や背負い籠、椅子、机、棚といった家具に乳母車、川を渡る筏《いかだ》に家屋まで。竹材の豊富な台湾では、思いつく限りの日用品の材料として竹を用いてきた。ユニークなのは、花籠を長い筒にしたような「竹夫人」という抱き枕だ。寝転がってこの「竹夫人」に手足を乗せれば、身体の熱を逃がして寝苦しい夜も快適に過ごすことができる。

「母子椅子《ブーキャアイー》」と呼ばれるベビーチェアも面白い。幼児がつかまる前側の取っ手には輪切りの竹が通され、くるくると回したり動かしたりして遊べる仕掛けになっている。成長に合わせて向きを変えればスツールとして使える。釘を使わず竹で組み立ててあるから丈夫で安全だし、これこそ柳の唱えた「用の美」そのものではないかと感心してしまう。

実際、これら台湾の竹デザインは日本の作家たちの心をも深く捉えた。民芸運動で活躍した陶芸家の河井寛次郎にも台湾の竹工芸は大きな影響を与え、京都市にある河井寛次郎記念館には、河井が幼い娘のため竹職人に制作を依頼した「母子椅子」や竹家具シリーズが残されている。「台湾の竹家具ぐらい『竹』の立派な素質を出しきっているものはまれらしいと思う」とも述べた河井によれば、「京都市外洛西の上桂に大八木治一という人が、日本竹製寝台製作所というものを作って」いて、「此処には台湾の人が十人くらい居て」「自分の考のものをいろいろとそこで作って」もらうようになったという。当時の台湾の職人が、京都の工房に招かれて竹に関する技術提供もしていたのだ。[*1]

一方でもともと竹工芸の盛んな台南・関廟と南投・草屯には台湾総督府によって「竹材工芸伝習所」が設置された。ここには、日本（内地）から職人が来て指導することもあった。日本時代の台湾の竹工芸は、台湾と日本が影響を与え合って発展したといえそうだ。

暮らしと仕事の中で育まれた数々の作品

戦後になり、南投・草屯の「竹材工芸伝習所」は顔水龍（１９０３－９７）によって１９５４年に南投県工芸研究班として生まれ変わる。顔は東京美術学校（現在の東京藝術大学）を卒業した芸術家で、台湾民族研究者および教育者として「台湾工芸の父」とも呼ばれる。その後いくつかの名称変更を経て２０１０年には国立台湾工芸研究発展中心となり、台湾工芸の研究・技術保存と人材育成という役割を担い続けているが、ここで竹工芸を教えるのが２０１６年に台湾の人間国宝（無形文化財保持者）に認定された李栄烈《リー・ロンリエ》だ。

１９３６年、草屯《ツァントン》の郵便局員の家に生まれた李は、18歳で南投県工芸研究班に入学。台湾竹工芸の大家・黄塗山《ホアントゥーサン》の一期生で、竹との付き合いは60年を越える。１９６０年には、来台した日本の人間国宝・飯塚小玕斎《いいづかしょうかんさい》の指導も受け、１９７８年に漆芸家・陳火慶《チエン・フォーチン》について漆芸技法を習得。漆と竹とを組み合わせた籃胎漆器《らんたいしっき》という技法を採り入れた。代表作は籃胎漆器の技法で作ったテーブルと椅子、茶道具のセットだろう。急須ひとつとっても制作に1年を費やしたというが、いぶした竹編みの上に何層も漆を塗り重ねて作られた茶器や籠は深い色味を帯び、温かみと強靭さを併せ持つ。

「暮らしが仕事、仕事が暮らし」という言葉を遺したのは河井寛二郎だが、李栄烈さんの作品にもまた、素朴で明るい、手を動かして作ることへの喜びが感じられる。根っからの職人気質かといえば、そうでもない。それが証拠に李さんのスタジオには、一つとして同じ作品がない。

「一つ完成したら、また少し難しいことに挑戦するのを大事にしている」

注文を受けて作ることはあるのかと聞くと、

「少ない、こんなものを作りたいという自分の気持ちに従っているから」と答えてくれた。

李さんは「竹」に似ている。南投草屯に広く深く根を張って多様な技術を吸収し、経験をため込んで強度を備え、80歳になった今も地元で後進を育てるのに力を注いでいる。その作品に見えるのは、暮らしと仕事の結び付きの中に生まれるしなやかな美しさである。

2019・1・26

＊1　河井寛次郎の竹家具 ―― 京都・嵯峨竹と台湾の技術を得て ――（鷺珠江）／『民藝』平成26年5月号（737号）

31 麗しき故郷、台湾
——湾生画家・立石鐵臣を巡って

台湾で評価を受け続ける立石鐵臣

立石鐵臣《てつおみ》は戦前の台湾で生まれ、風俗・民俗・工芸を記録した雑誌「民俗台湾」「媽祖《まそ》」の表紙や挿絵を手がけたことで、台湾では知られる画家である。「民俗台湾」に見られる台南関廟の竹細工やロウソク・線香職人、冠婚葬祭における風習など、丹念なスケッチで生き生きと描かれた木版画は当時の台湾人の等身大の生活を伝える貴重な資料として、1970年代から台湾で評価を受け続け、特に近年注目されている。10年以上絶版だった『灣生・風土・立石鐵臣』（邱函妮、雄獅美術出版）が2016年に再版され、同年、台湾国際ドキュメンタリー映画祭でプレミア上映となった映画『灣生畫家 立石鐵臣』（監督：郭亮吟《クオ・リャンイン》・藤田修平）はチケットも早々に完売、観客賞を受賞して話題をさらった。また立石が戦後、台湾での生活を思い出して描いた画集『台湾画冊』の中に、基隆《キールン》を出港する日本人の引き揚げ船の見送りに来た多くの台湾人が日本語で「蛍の光」を合唱する絵がある。絵の中で三度、絶叫するように添えられた「吾愛台湾！」という言葉が台湾人のシンパシーを手繰り寄せたのか、インターネットを通じて広く拡散され、若い世代にも知られる存在となった。

立石鐵臣は、台湾総督府の土木部事務官を務めた立石義雄の4男として、1905年に台北で生まれた。父親の内地転勤に伴って9歳で台湾を離れるが、この地で生まれ育ったことが後の人生に大きな影響を与えた。

幼いころの立石は、虚弱で内向的だったことから同級生たちと遊ぶより絵を描くなど一人で遊ぶのを好んだ。対象の魂を絵筆で捉えようとするような観察眼はこの頃に育まれたのだろう。1919年に14歳で鎌倉に転居、16歳で地元の画家から日本画を学ぶようになり、身の回りの植物を熱心にスケッチしはじめる。21歳で同じく鎌倉に転居してきた岸田劉生に付いて洋画へ転向。幾つかの美術展で入賞を果たし、岸田の死後は日本近代美術の巨匠、梅原龍三郎に師事した。

師の期待がプレッシャーに

立石が梅原から受けた影響は計り知れない。梅原に師事して以降、才能を開花させ大きな美術賞を立て続けに取った立石が、いつか日本画壇を背負って立つ一人になるだろうと梅原は期待した。南国の強烈な太陽を感じさせる立石の日本人離れした色彩感覚にも梅原は注目していたのではと、府中市美術館の学芸員・志賀秀孝氏は述べる。だが、梅原のこの大きな期待が戦後の立石の画家としての生き方に重いプレッシャーとなっていたようだと立石の家族は後に語っている。梅原の勧めで、立石は1933年（28歳）より数回にわたり再び台湾の地を踏んだ。台湾に「帰る」前の気持ちを立石はこう記している。

「台灣は私の生地で、九つの時までを暮しました。ですから私の記憶には、そこはまるで天國のやうです。童話の國のやうです……強いはげしい南國の風物は再び私に新しい夢を見させてくれ、前後を忘れて仕事に狂喜させてくれることでせう……」

（『立石鐵臣展―生誕110周年』立石雅夫・森美根子・志賀秀孝の論考より、泰明画廊）

そんな弾むような気持ちを抱いて立石は台湾の風景を油絵に多く残す。陳澄波、楊三郎、李梅樹ら主だった台湾人画家によって設立された台陽美術協会にもただ一人日本人として参画し、日本人と台湾人のあいだに対立もあった当時の台湾美術界において台湾人仲間にも愛された。立石の作風は「台湾のゴッホ」「湾生後期印象派」などと評されたが、戦前の作品の多くは今も行方知れずのまま見つかっていない。

その後、台北帝大の標本画制作の依頼を請けて昆虫や植物の細密画を究める一方、人類学者の金関丈夫、民俗学者の池田敏雄や文学者の西川満らと親交を深め、「民俗台湾」の編集に参加する。太平洋戦争も始まり、皇民化運動の高まりで、媽祖像や土地公に代わって天照大神の神棚を祀るのが推奨されていた折、「民俗台湾」や「文芸台湾」の発行も当局に歓迎されるものではなかった。しかし内容は情熱、好奇心、愛情とユーモアにあふれ、その後失われた多くの台湾文化を記録したかけがえのない資料となった。戦後、中華民国政府下で先史学者の国分直一らと共にしばらく技術者として留用された立石は、現在の台湾師範大学に近い温州街で暮らし、台北日本人学校の最初の美術教師も務めた。

台湾人弾圧の引き金となった二二八事件（１９４７年）翌年の12月、日本に引き揚げてからは図鑑の挿絵などで生計をたて、戦後の画壇では無名のまま１９８０年、75歳でその生涯を終えた。

それから30数年。

２０１５年、銀座「泰明画廊」での回顧展を皮切りに、２０１６年春には東京府中市美術館で初の大型回顧展「麗しき故郷『台湾』に捧ぐ――立石鐵臣展」が開催され、日本でもようやく立石への本格的な再評価がスタートした。

再評価にかかった70年もの月日

立石鐵臣は、時代によって作品の方向性が変わる作家で捉えどころがないが、どの時代の絵も一度見たら忘れられない魔力がある。共通するのは、対象の中に見つけた面白さや美しさの全てを絵で伝えたいという欲求と情熱だ。そんな立石が戦後から70年ものあいだ、日本画壇に無視されてきたのはどうしてだろう？　それは戦後、日本人の台湾に対する態度と無関係ではないのかも知れない――2016年のドキュメンタリー映画『灣生畫家 立石鐵臣』を観ながら、ふと思った。台湾をはじめ朝鮮や満州など「外地」の美術の流れを抜きにして、日本の近代美術史を語ることはできない。しかし、この70年間、日本近代美術史における台湾の位置付けはいまだなされていない。理由のひとつは、引き揚げ時の荷物制限から、戦前の台湾で評価された作品が残されていないことが挙げられる。しかしもうひとつ、画壇という名の日本人社会が「湾生」という存在、ひいては台湾から目を背けつづけたことに原因があるのではないか。引き揚げ以降、立石は二度と台湾を訪れなかった。台湾に対して激しい思慕を抱きながらも、それを閉じ込めざるを得ない屈託の中で戦後を生きていたのではないだろうか。

東日本大震災以降の日本社会の、台湾への態度は大きく変わった。毎月のように雑誌で台湾特集が組まれ、台湾に関する本が出版され、大なり小なり毎日のようにテレビで台湾が取り上げられる。かつてはお世辞にも良いとは言えなかった台湾のイメージが「おいしい・楽しい・癒し」へと変わり、その距離は戦後もっとも縮まっていると言っていい。日台のはざまでひそやかに描きつづけてきた湾生画家、立石鐵臣。その作品にある台湾の痕跡は、70年という歴史の泥から砂金のように浮かびきらめく。

2017・7・8

32 かつて最前線だった島の芸術祭、馬祖ビエンナーレ
――トポフォビアからトポフィリアへ

2年ぶりに乗る飛行機で、馬祖《マーヅー》の芸術祭「馬祖国際芸術島」へ向かった。台湾（中華民国）連江県に属する馬祖列島は、台北から北西に向かって飛行機で一時間弱。合計36個の島からなり、中華人民共和国の福建省福州市まで目と鼻の先の、国境の島々である。

馬祖――群島の歴史

中国大陸において1920年代より敵対関係にあった中国国民党（国民政府）と中国共産党は、日中戦争勃発のため一時は協力関係にあったものの、第二次世界大戦終結によりふたたび武力衝突を開始した。一方で、1895年の下関条約より50年のあいだ日本が領有していた台湾および澎湖諸島は、1945年8月15日の日本の無条件降伏により、戦勝国である中華民国の統治下に

組み入れられた。1947年からは、蔣介石率いる国民党と毛沢東率いる共産党の戦争（国共内戦）が本格化するが、1949年には毛沢東の共産党が中国大陸を掌握。北京に「中華人民共和国」を打ち立て、敗北した蔣介石の国民党は台湾に撤退して台北を臨時首都とする（以前の首都は南京）。これより蔣介石の中国国民党（中華民国）は台湾を拠点として中国奪還を最終目標とし、台湾の住民（戦前から住んでいた住民および戦後に国民党とともにやってきた住民）に「大陸反攻」を至上命令として、それに外れるものを徹底的に弾圧した。そこで対中国共産党の最前線となったのが金門島とここ馬祖である。

ウクライナ危機をうけて「台湾有事」（中国による台湾への武力侵攻）の可能性について日本でも議論が活発化しているが、金門《チンモン》と馬祖は1949年以降ずっとそうした両岸問題（両岸とは、台湾海峡を挟んだ中国と台湾のこと）の舞台であり続けてきたし、日中戦争期の日本による金門島の軍事占領を除き、台湾の領土でありながら戦前に日本統治を受けていない「純粋な中華民国」ともいえる。それが1980年代以後の台湾民主化が進むうち、モンゴルなども含む巨大な「中華民国」ではない、台湾島サイズの「台湾」という共同体意識（台湾アイデンティティー）の高まりによって、馬祖は「内戦の最前線」から中華人民共和国と台湾（中華民国）との「国境」となった。ここは複雑な歴史背景をもつ「台湾（中華民国）」というネーション（国民国家）を考えるうえでも非常に重要な場所なのである。

1987年に台湾の戒厳令が解除され、また台湾海峡の緊張が緩和されたことを受け、中華民国の最重要軍事拠点のひとつであった馬祖は1992年に軍事管制が解除、1994年から一般開放され、観光客も訪れるようになった。それからちょうど30年、今後10年に渡って開催予定のアート・ビエンナーレの第1回が、今年2022年に開催された（本来は2021年の開催予定だったが、コロナ禍のため延期になった）。主催は馬祖が属する連江県および中華文化総会。中華文化総会は元々「中国」としての中華民国の正当性を文化の面から国際的に宣伝するために1967年に蒋介石が起ちあげた政府系組織で、その時々の台湾（中華民国）総統が会長を歴任する。民主化以降は、台湾文化の高揚を目標に掲げており、現在の会長は蔡英文総統である。

1990年代より馬祖では、島外から来た専門家と異なる世代の島民とが協働して、集落の景観保存やコミュニティの文化資産の保存といった文化運動を進めており、これが今回、台湾初の「島の国際芸術祭」開催の背景となっている。台湾における数々の国際展を手がけ、今回の馬祖国際芸術島オーガナイザーである呉漢中《ウー・ハンツォン》も、1990年代に台湾大学の「建築與城郷研究所」（地域文化に根差した街づくりやランドスケープ建築についての研究所）在籍中に馬祖の文化運動とかかわったことがこの度の機縁となっている。芸術祭のタイトル「島嶼釀」は、この30年のあいだに発酵醸造された島の「文化」を味わおう（馬祖は「老酒」や「高粱酒」など酒も名物）というものだ。キュレーターも、長年にわたり馬祖の文化運動と関りのあるセレクトとなっており、作品の多くも島外のアーティストだけでなく地元のアーティストが参加している。計画に際しては「瀬戸内芸術祭」などにも視察を重ねたといい、アートのみならず飲食や自然環境、生態、民俗など多岐にわたる風土文化に着目した多彩な芸術祭である。ここでは特に、軍事遺構にまつわる歴史と作品をとりあげる。

芸術祭が呼び覚ます負の記憶

馬祖の行政や経済の中心である南竿島《ナンガンダオ》（馬祖島）に到着すると、山手のほうに赤い文字で「枕《ツエン》戈待旦《グータイダン》」というスローガンの書かれた建物が見えた。「枕戈待旦」の「戈」とは古代中国における長刀のような武器のこと、つまり「武器を枕にして、油断することなく時機を待つ」という意味だ。

「あの『枕戈待旦』は、俺たち兵隊がつくったんだよ！」

今回、芸術島ツアーにご一緒したメンバーのひとり、建築家で國立陽明交通大學建築研究所教授の龔書章《ゴン・シューツァン》さんが指をさして教えてくれた。龔さんはかつて兵役のために馬祖で過ごした際、建築士としての知識を持つことから、1987年に完成した馬祖のランドマークともいえるこの軍事スローガン建設に参加した。

中華人民共和国を仮想敵としてきた中華民國（台湾）には、1949年より住民男子に対して兵役義務が課せられている。近年では期間も4カ月ほどの簡易的な軍事訓練となった（国際情勢をうけて2023年より1年に延長）が、かつては2年から3年で訓練内容や環境もいまよりずっと厳しく、命を落としたり精神を病んだりした人も少なくなかった。当時の兵役の状況を聞けば聞くほどいま生き延びて話を聞かせてくれる台湾人男性らは皆「サバイバー」であると感じる。軍事最前線の金門と馬祖での兵役は特に過酷で、抽選でもしその2カ所に配属が決まれば「金馬奨を獲った」（台湾のアカデミー賞にあたる映画賞）と揶揄された。敵の襲来に備えつつ、しかし資源は限られているので、兵役で配属された青年たちはあらゆる労働に駆りだされた。トーチカ用のトンネルづくりや石炭などの資源をまかなうための炭鉱開発。採掘機械があるわけでもなくひたすら手作業で掘る。元はむき出しの岩山であった馬祖の島々は、いまは緑色の植物に覆われているが、これらは軍事施設を隠すために兵隊たちが植えてまわったものだ。植物にはサボテンの一種であるリュウゼツランやアロエなど棘を持つ尖った植物が多い。空からパラシュートで敵が降りて来るのを想定しそうした種類がわざわざ選ばれたので、人的に施されたいわば「自然の迷彩色」である。潜水して崖から登ってくる敵（水鬼《スイグイ》）に備えて、海岸沿いの岸壁一面にはセメントを使って割れたガラスの破片が埋め込まれている。島のあちこちにあるセメントでできた巨大なスローガン建築も、士気を高めるために兵隊たちが手作業で仕上げた。あまりにも辛い日々だったので、当時の記憶をわざと記憶の奥の奥へと追いやってきたため馬祖で過ごした時間が「空白」のようだという龔さんは、芸術祭であちこちをめぐるうちいろいろな記憶が蘇ってきたよと苦笑いした。

軍事遺跡のなかのアートプロジェクト

台北ビエンナーレ2020「あなたと私は違う星に住んでいる」のパブリック・プロジェクトなど近年数々の展覧会を手がけるエヴァ・リン（林怡華）キュレーションのプロジェクト「地下工事（Underground Matters）」の展示がある南竿島の軍事拠点「77拠点」では、海岸に面したトーチカ（射撃窓）まで蟻の巣のようにのびる地下防空壕を深く潜っていくうちに展示が現われる。リアム・モルガン（Liam MORGAN）は、地下に植物を設置し、人造光線と水遣りの装置を使って、長い期間にわたる地下坑道の環境が生命にどのような影響をもたらすかを観察するインスタレーションを発表。エヴァ・リンによれば、かつて地下生活を余儀なくされた兵役経験のある参観者はこの作品を見て涙を流したという。

建築家でランドスケープデザインを手がける陳宣誠《チェン・シェンチェン》が廖億美《リャオ・イーメイ》（好多様文化工作室）とともにキュレーションしたプロジェクト「島の声を聴く（傾聴島嶼的聲音／Listening the Voices of the Island)」では、53拠点の海に向いたトーチカの銃口を題材にした作品が印象的だった。1年を通して雨や霧の多い馬祖でも、時には眼下に真っ青な海原と抜けるような空が広がる日がある。そんな海の面立ちが射撃窓によって切り取られた光景は額縁にはめられた1枚の絵だ。しかし夕陽が落ちる西側の海の向こうは敵地である。射撃窓から広がる景色のなかに、いつ敵を発見するかという恐怖。逆にいえば射撃窓とは、敵から攻撃をうける対象でもある。

同じく最前線である金門と馬祖は多くの点で共通する部分と異なる部分があるが、最大の違いは金門が実際に戦地となった（金門戦役・1949／金門砲戦・1958）のに対し、馬祖では一度も実戦がなかったことである。馬祖における「窓＝銃口」は、なかば永遠のようにいつ来るともしれぬ敵を「待ち続ける」時間の連続を象徴する。

地元の文化発展のため美術教育を推し進める馬祖のアーティスト、曹楷智《ツァオ・カイチー》は廃棄された坑道の空間をアーティストらのスタジオおよび交流の場として生かすための作業を自らの身体をつかって昼夜問わず行なっていた。わたしが訪れたときはちょうど、埋められた採光穴（もしくは銃口）が掘り返されているところで、関根伸夫の《位相－大地》を連想した。軍事遺跡に留まった時間を物質に置き換えたような土を掘り返すことで、郷土に埋められた物語と対話しているようだった。

過去・現在・未来が呼び合う場所で

馬祖には100カ所以上の軍事拠点が残っているが、島民も足を踏み入れたことのない神秘の場所で、今回の芸術祭のために初めてその一部が一般開放された。いや、軍事拠点にとどまらず、長いあいだ島の大部分が軍事基地であったため、島民自身にとっても自分の暮らしている島のごく一部の生活空間のみが自由に行き来のできる親しい場所であった。この芸術祭の準備からリサーチ・制作・運営・参観、そしてワークショップに島民がかかわることは、島民自身が馬祖という複雑な歴史をもつ「場所」そして「風土」との関係性をその手に取り戻していく過程である。

そうした意味で、象徴的な作品が南竿軍人記念公園に制作された廖建忠《リャオ・ジェンツォン》の《珠螺村芸術装置(Zhuluo in Blossom)》であろう。古来より福州に入る商船の多くが停泊した馬祖には、希少な生物分布も見られるが、ながらく戦争が珠螺村の人々の運命を握り、島民が耕していた農地などは、戦後、軍事用地となった。軍人記念公園から見下ろすことができるのは1968年に建設された「天馬基地」で、色とりどりの風船に手紙や洋服、飴や日用品など宣伝物資をつけて中国側に飛ばし、「自由で豊かな祖国」をアピールした作戦基地だったことで知られる。アーティストは連江県の県花であり、島の原生種でもある彼岸花（曼殊沙華）をモチーフに、大砲の模型を花の茎に見立てて、二度と故郷が失われることがないようにと願いを咲かせる。兵器の進化と情勢の変化により、もし台湾有事が起こるとしても金門や馬祖への上陸進攻は現実的ではないといわれている。この地が最前線でなくなった現在、それでは最前線はどこなのか？　日々ニュースから流れて来る痛ましいウクライナの戦争の映像を、自分ごととして考えている台湾人は少なくない。このタイミングで、この生々しく戦争を予感させる地でアートビエンナーレが開催されることは示唆に富む。馬祖民俗文物館ではランドスケープアーキテクト、ビジュアルアーティスト、サウンドアーティスト、歴史研究者、植物研究者、フォトグラファーなど異なる専門領域をもつ人々により、島のフィールドワーク・リサーチや採集を通して島と海洋、歴史、人と環境をめぐる未来に対して思索・提案する「馬祖学」の確立ともいえる展示がなされた。

人文主義地理学を提唱したアメリカの地理学者、イーフー・トゥアンは、人々がもつ「場所」（トポス）への愛着や情緒的な結びつきを「トポフィリア（Topophilia）」と呼び、エドワード・レルフは「場所は、人間の秩序と自然の秩序との融合体であり、私たちが直接経験する世界の意義深い中心である」[*1]といった。イーフー・トゥアンはまた逆に、恐怖を呼び起こす「場所」を「トポフォビア（Topophobia）」と名付けている。「トポフォビア」から「トポフィリア」へ。かつて最前線だった島で、アートは風土と記憶の亀裂を縫合し、傷跡をやわらかく包み込む。
馬祖の芸術祭を訪れたこの3日間、珍しく天気がよく暖かい日がつづき、どの場所もそれは美しかった。ツアーに同行した龔さんは、53拠点の作品たちの向こうで夕陽が鱗粉を撒き散らすように溶け落ちゆく海を見つめながら、「暗い記憶が塗り替えられていくみたいだ」とつぶやいた。

２０２２・４・15

馬祖国際芸術島
会期：２０２２年２月12日（土）～４月10日（日）

＊1　エドワード・レルフ『場所の現象学』（高野 岳彦、阿部 隆、石山 美也子訳、ちくま学芸文庫）

33 台湾の「肖像画」描く文学

台南の奇美《チーメイ》美術館で、ロンドン・ナショナル・ポートレート・ギャラリーの巡回展を観た。写真、イラスト、絵画、彫刻などあらゆるポートレートが観られる展覧会で、特に肖像画は見応えがあった。権力者や資産家のステイタスだった肖像画には様々な情報や暗号が描きこまれ、職業や社会的な地位、更には「男装したレズビアン女性」といったセクシャルアイデンティティーまで示した作品もある。中でもとりわけ印象に残ったのは描きかけの肖像画だった。発注を受けた画家が、途中で死んでしまったのだ。キャンバスの中心にある顔の部分だけが完成に近い形で描きこまれ、それ以外の部分は木炭の下書きが残るのみ。ぼんやりとしたキャンバスの中心にくっきりとした顔の輪郭や光を湛えたまなざしが浮かび上がっているのは不思議な感じであった。それを観ながら、「台湾の肖像画」があるとすればどのようなものだろうと考えた。古来より様々な原住民族が暮らしてきた台湾の地に、オランダやスペイン、明の鄭成功、清、日本、そして中華民国がやってきた。「台湾」を描く肖像画家はいつも途中で死に、そのあとを次の画家が引き継いできたのである。以前の画家が描いた部分は上描きされ、または塗り残されて多様な文化とルーツが顔をのぞかせる。しかしその絵は果たして「台湾」を描いた肖像画といえるのか？「台湾文化」「台湾アイデンティティー」とは何かをめぐる長年のストラグルに通じる。

知られざる歴史上の物語を掘り起こし台湾の集合的記憶として描きなおす、つまり新たな「台湾の肖像画」を描くこと。呉明益《ごめいえき》の『歩道橋の魔術師（原題：天橋上的魔術師）』や徐嘉澤《じょかたく》『次の夜明けに（原題：下一個天亮）』も含め、近年の台湾の小説にはそんな共通点があるとわたしは思っている。

基隆在住の作家で、台湾の地名や飲食文化の変遷について数々の著書がある曹銘宗《ツァオ・ミンツォン》さんに基隆を案内してもらったことがある。ちょうど曹さん初の小説『艾爾摩沙的瑪利亜（エルモサのマリア）』（時報出版）が上梓されたばかりで、舞台となった基隆の和平島を歩いた。美しい島＝台湾という意味をもつポルトガル語由来の「福爾摩沙」（フォルモサ／Formosa）に対し、「艾爾摩沙」（エルモサ／Hermosa）とはスペイン語で「美しい島」を意味する。「瑪利亜」とはキリスト教における聖母マリアであり、また小説の主人公である原住民族の少女をも指す。

第二次世界大戦に連なるアジア激動の近代史の発端が、台湾南端で起こったアメリカの商船ローバー号の遭難事件であったことを解き明かした陳耀昌《チェン・ヤオチャン》の『フォルモサに咲く花（原題：傀儡花《クェイレイファ》）』は、日本時代以前の原住民族、ホーロー人、客家人、清朝官僚や米欧人らの関係を緻密に描きあげ、2021年にドラマ化されて話題となり、台湾の多くの人々が自分のルーツについて考えるきっかけをつくった。台湾デジタル相のオードリー・タン氏は、わたしがインタビューしたとき、この『フォルモサに咲く花』の軸になっている考え方を「虹史観」と名付け賞賛した。虹は七色の異なる色彩がそこに共にあってこそ美しく、色の美しさには上も下もない。多様な民族や考え方の共生のもと新たに編み出される歴史観、それが「虹史観」である。

曹銘宗『艾爾摩沙的瑪利亞』は、陳耀昌『フォルモサに咲く花』よりさらに遡る17世紀に、台湾北部の基隆・淡水を占領して城を建てたスペインの軍人たちと、原住民族やホーロー人の交流を描いたものだ。大航海時代の台湾の状況を簡単な知識としてしか知らなかったわたしも、この小説を通して台湾でのカソリックの布教、原住民族への宣教がどのように広がったのか、当時の台湾をめぐる世界情勢、台南に城をつくり最終的には北部のスペイン軍を駆逐したオランダとスペインの関係、原住民族やホーロー人の交易を通した交流、フィリピンや日本との貿易関係など時代背景を立体的に理解できた。また曹さんが師と仰ぐ台湾史研究者・曹永和《ツァオ・ヨンフー》の「台湾史観」

（戦後の国民党が敷いた「中華民国史観」に対し、台湾というこの島で起こった全ての出来事を台湾の歴史として読みなおすこと）を基礎に、曹さんならではのトリビアがあちこちに仕込まれ、地形・地図・地誌好きには堪らない。

旅はまず基隆の埠頭からはじまった。埠頭にある倉庫は日本時代に台湾航路（内台航路）で基隆・門司・神戸をつなぐフェリーの発着場所であった。実際、この辺りには日本時代の近代建築も多く残り、わたしも幼いころを過ごした門司を思い起こして綿あめのようなノスタルジーに包まれる。戦後に日本へと引き揚げていった日本人らも皆この倉庫より船に乗った。日本時代の画家である立石鐵臣は、多くの台湾人が『蛍の光』を歌いながら基隆港を離れるフェリーに手を振ってくれた引き揚げ時の記憶を、絶叫のような「吾愛台湾！」という言葉といっしょに描き残している。

中国の国共内戦に敗れて台湾へやってきた全ての国民党軍の船も、ここに到着した。その後の二二八事件においてこの一帯は血の海となった。こうしてみれば基隆とは積み上げられた層が多くの力学によっていきなり隆起したり断層ができたりしてモザイク状の複雑な歴史的地層を見せる台湾の玄関口である。

基隆駅北改札の壁には大きく「鷄籠《ケーラン》」の字が書かれている。１８９１年の清朝統治時代に初代台湾巡撫《じゅんぶ》となり、台湾のインフラの基礎を築いた劉銘伝《りゅうめいでん》が取り組んだ台湾最初の鉄道の起点で、「鶏籠火車碼頭」と呼ばれた。鶏籠は基隆の元々の名前で、この地に暮らしていたバサイ族の呼び名に由来するのは台湾で一般的に知られているが、曹銘宗さんは台湾史研究者である翁佳音《オン・チャーイン》さんと共に新たな仮説を立てており、それが小説『艾爾摩沙的瑪利亞』の軸にもなっている。それによれば、かつての鶏籠《ケーラン》は今の和平島を指した。中国大陸福州あたりのホーロー人が、バサイ族らの住むこの地にやってきた際、最初に目にする台形型の山がちょうど「鶏の籠」のようというので鶏籠《ケーラン》、これが日本時代に基隆《きいるん》と改まって今にいたる。つまり基隆という街の原型は和平島にある……そんな風に曹さんたちは考えている。

和平島の入り口には、日本時代につくられ一時は台湾で最も栄えた漁港「正濱漁港」があり、近年は建物が色とりどりにペイントされたインスタ映えスポットとして知られている。隣にはやはり日本時代の造船場跡に、数十年前に原住民優遇政策で誘致されたアミ族のコミュニティー。それほど大きくはないエリアのなかミルクレープのように民族と時間が堆積する。

漁港のレストランには数々の新鮮な魚介類がならぶ。小説『艾爾摩沙的瑪利亞』にも登場した「十字架蟹」と「三位一体蟹」もいる。十字架蟹は初めて日本に宣教に渡ったフランシスコ・ザビエルゆかりのシマイシガニ（台湾では「花蟹」）のことだ。ザビエルがインドネシアで宣教をしているとき、乗っていた船が時化に遭いザビエルは胸にかけていたクロスを海に落としてしまう。

後日、砂浜を散歩していた際、砂浜を歩いている蟹の甲羅に自分が海に落としたクロスを発見し、蟹の甲羅にキスをしてその奇跡に感謝するエピソードが元になっている。

左手にはクイーンヘッド（女王頭）の奇岩のある野柳《イエリョウ》を望み、不思議な浸食地形のみられる和平公園は元々の自然環境を保護するため地元出身の地方創生チームによって運営され、海沿いを散策できる。敷地内にはいまは無きスペインのサン・サルバドール城や教会（教会の遺跡は現存）、ホーロー人村にバサイ村もあった。また日本時代には琉球から琉球漁民も多く移住したが、戦後の二二八事件による無差別虐殺によって北京語を喋ることのできない多くの琉球人らもまた捕らえられ、殺された。現在はここに、当時の被害者のための慰霊の像が建っている。

ところで、一神教であるキリスト教がどのように祖霊や自然信仰を主としてきた台湾原住民族の信仰を集めたか、彼らの中でどう折り合いが付いているかは、わたしの中でも関心事のひとつであった。『艾爾摩沙的瑪利亞』にはドミニコ会修道士のファン・コボの話も出てくる。フィリピンで宣教していたファン・コボは、フィリピンへの降伏と朝貢を求めた豊臣秀吉に会いに日本へ渡り、面会してフィリピンに帰る途中に遭難した台湾で原住民族に殺害された。近年、マーティン・スコセッシ監督で映画化された遠藤周作の『沈黙』と曹銘宗の小説は実は同時代を書いており、日本時代以前から海洋貿易やキリスト教を通して日本と台湾が複雑に結びついていたことが分かる。「キリスト教と台湾人」という曹銘宗の小説のテーマが内包するのは、現代台湾で様々なエスニシティの人々がどうすれば尊重しあい共生していけるのかという問題意識であり、これは遠藤周作が生涯追い求めた「日本人に適合したキリスト教のかたち」、そして『深い河』で描かれた「信仰ではなく、〝働き〟」という概念にも通じるように思う。そう考えつくと、映画『沈黙―サイレンス―』がアン・リーの勧めでここ基隆の東北角で撮影されたことに運命的なものさえ感じてしまう。

さて、わたしが初めて基隆埠頭の倉庫を訪れたのは、日本時代に甲子園初出場で準優勝を果たした嘉義農業高校の野球チームを描いた映画『ＫＡＮＯ』（監督：馬志翔《マー・ツージャン》／２０１４）の撮影を見学したときだった。それから、倉庫は取り壊される予定だったが、歴史文化的価値が見直されクリエイティブ産業エリアとして生まれ変わった。映画『ＫＡＮＯ』も、原住民族と漢人、日本人が力を合わせて野球チームとして奇跡を起こすという「虹色史観」の元に撮られた映画だったと思う。この映画のプロデューサー魏徳聖監督もまた、映画の世界で新たな「台湾の肖像画」を描く試みに挑戦し続けている。

あとがき

台湾と日本、「おもろい」の万華鏡

ゴリラ研究者の山極寿一さん曰く、京都でいう「おもろい」という表現は、異分野の人も含めみんなが耳を傾ける価値があると感じ、「おもろい」を発展させる共同作業に参加したいと思わせ、そこには「アートの発想」があるという。またアートとは、「なにかに憑依して、その心になって世界を見つめ直すことが起源」とも説明されている（『京大総長、ゴリラから生き方を学ぶ』朝日文庫より）。

この「おもろい」論は、大学から京都で10年ほどを過ごしたわたしにはとても腑に落ちるものだった。わたしの通った大学は、京都市立芸術大学（略称・京芸）という知名度がそう高いとはいえない芸術大学だが（京都市左京区の〝瓜生山学園京都芸術大学〟ではない）、その歴史は東京藝大より古く、1880年にできた京都府画学校を前身とする日本最古の芸術系大学である。音楽科や研究生あわせて1000人ぐらいのかなり小さな学校にもかかわらず、台湾でもよく知られる芸術家、例えば草間彌生（中退）やダムタイプ、田中敦子、やなぎみわ、やのべけんじ、高嶺格、名和晃平など国際的に活躍するアーティストが多いのも特徴だ。そして思い返してみれば、京芸という学校は「おもろい」を非常に大切にする場所で、この頃に出会った友人らの原動力もやっぱり「おもろい」だったし、「それおもろいやん」「この作品おもろいなあ」は最上級の誉め言葉だった。

今回のエッセー集『日台万華鏡』は、一本の書下ろしを除き、2016~2022年にかけて日本のメディアで公開した文章をまとめたものである。読み返して自覚したのは、自分の執筆には間違いなく「おもろい」が基準にある。つまり、その話の後ろに無限の対話の可能性があるかどうかで、山極寿一さんの言葉を借りれば「〝台湾〟に憑依してその心になって世界を見つめ直」そうとする、アート的なプロセスでもあったと思う。とりわけ、「nippon.com」は日本語版と中文版が出る特徴がある媒体のため、日本向けにも台湾向けにも「おもろい」と思ってもらえるように書く作業はとても勉強になった。

また、このエッセー集はまず2020年に台湾で出版されたが（『台日萬華鏡』玉山社）、序文を書いてくれた友人で作家・中央大学中文系教授の胡川安さんは「日本人的な視点の〝台湾〟、もしくは台湾人的な目線で〝日本〟を捉えた書籍は数多いが、日本と台湾の〝あいだ〟で物事をみつめる栖来ひかりの著作には、台湾人も知らない台湾が詰まっている」と評してくれた。本書の副題「日本と台湾のあいだで書く」はここから拝借した。

ときには七転八倒するほど書くのが辛いこともあった。例えば「福島など5県産食品の安全性」と台湾に関する一篇。編集部から依頼されたテーマで、今でこそ台湾世論もずいぶん柔らかく変化したが、これを書いた２０１８年当時は日本人の自分がどう書き進めていいか解らず、ひと月ぐらい苦しんだ。その突破口をくれたのが、ネイルショップで話を聞かせてくれた徐嘉君さんだった。親友の水瓶子や高彩雯さんにもよくアドバイスをもらった。また、日本から台湾に贈られたワクチンについてフェイクニュースが日本で問題となった時には、北海道大学の許仁碩さんに相談しながら反論記事を発表し、２００万ＰＶ以上のアクセスがあった。こうした執筆過程で感じたのは、台湾の問題か日本の問題か、自分がナニ人か、どういう立場かにかかわらず、わたしたちは自分の内なる多様性に気づき、目のまえにある問題を一緒に考え解決していける可能性である。この本を読んでくださった皆さんが万華鏡のような「おもろい」を台湾と日本のあいだに見つけ、台湾という愛すべき場所が抱えてきた複雑な歴史や現状、問題への興味を深めてくだされば嬉しい。

冒頭の序文は、２０１８年の台湾教授協会が主催したシンポジウムで発表した。シンポジウムのキュレーターは友人の劉夏如さん。思い起こせば本当に素晴らしい発表者の方々の中に入れていただき、あの時から今につながるご縁も多い。

本書に収められているエッセーのなか、7篇はWedge ONLINE（旧WEDGE Infinity）で連載したもので、ウェッジ社の編集者・飯尾佳央さんに大変お世話になった。21篇は「nippon.

com」という多言語メディアに書いたもので、中文版編集長の野嶋剛さん、編集の高橋郁文さん、日本語版編集長の貝田尚重さんには感謝に堪えない。また、東洋経済オンラインの福田恵介さん、台湾映画同好会の小島烈子さん、オリオフィルムズの鈴木一さん、「ユリイカ」の阿部遥さん、「artscape」福田幹さんのご高配に深謝する。

そして、この本に込めた思いを見事にデザインしてくださった100KGの川原樹芳さん、大柴千尋さん、ありがとうございました。本書が書店に並ぶのを想像するだけで気分がアガり、おかげで校正もはかどりました。

最後に、伴走してくださった書肆侃侃房の池田雪さんに厚く御礼を申し上げる。前著『時をかける台湾Y字路〜記憶のワンダーランドにようこそ』が出版されたあとの2020年1月、同社の運営する書店「本のあるところ ajiro」のトークイベントに呼んでもらったのが池田雪さんとの出会いだった。それを最後にコロナ禍が始まり、日台の往来もままならなくなったのは皆さまご承知の通り。ようやく往来が再開し、こうしてお互い健やかで一緒に仕事ができることには感謝の言葉しか浮かばず、ただただ心より慶びたい。

2023年2月28日
タイワンザクラわらう台北にて

栖来ひかり

初出一覧（単行本化にあたり、加筆修正を行いました）

どうしてわたしは台湾について考えるのか
台湾教授協会,2018.9.8-9,台日韓跨世代交鋒論壇

社会 ……………………………………………………

1 「BRUTUS」台湾特集の表紙に台湾人が不満を感じた理由
nippon.com, 2017.8.26, https://www.nippon.com/ja/column/g00425/

2 移民共生先進国・台湾にみる「お手伝いさん」のススメ
Wedge ONLINE（旧WEDGE Infinity）,2018.6.18, https://wedge.ismedia.jp/articles/-/13133

3 Kolas Yotaka氏の「豊」は絶対に「夜鷹」ではない――氏名表記から考える多元化社会と文化
nippon.com, 2018.8.26, https://www.nippon.com/ja/column/g00571/

4 台湾は日本を映す鏡――台湾の「核食」輸入問題から考える
nippon.com,2018.4.8, https://www.nippon.com/ja/features/c04905/

5 日本人はどうして席を譲らないのか？――台湾の「同理心」と日本の「自己責任」から考える
nippon.com, 2018.12.2, https://www.nippon.com/ja/column/g00616/

6 台湾を愛した新聞記者の死
nippon.com, 2017.10.28, https://www.nippon.com/ja/column/g00456/

7 なぜ台湾で「誠品書店」が生まれたのか？
Wedge ONLINE（旧WEDGE Infinity）,2018.10.23, https://wedge.ismedia.jp/articles/-/14306

8 台湾の「先手防疫」と日本の「ホトケ防疫」
nippon.com, 2020.3.14, https://www.nippon.com/ja/japan-topics/g00838/

9 新型コロナ問題で台湾が教えてくれたこと――マイノリティへの向き合い方
nippon.com, 2020.4.30, https://www.nippon.com/ja/japan-topics/g00860/

10 まさかの時の友こそ、真の友――日本のワクチン支援、台湾人を感動させたもうひとつの意味
nippon.com, 2021.6.16, https://www.nippon.com/ja/japan-topics/g01125/

11 台湾に関するフェイクニュースの見分け方と台湾理解
東洋経済オンライン,2021.6.24, https://toyokeizai.net/articles/-/436201

ジェンダー……………………………………………………………

12 台湾からみえた日本の「女人禁制」問題
Wedge ONLINE（旧WEDGE Infinity）,2018.4.16, https://wedge.ismedia.jp/articles/-/12527

13 台湾LGBTQ映画からみる多様性という未来
nippon.com, 2018.6.3, https://www.nippon.com/ja/column/g00537/

14 「同性婚反対」に傾いた台湾社会の矛盾
Wedge ONLINE（旧WEDGE Infinity）,2018.11.30, https://wedge.ismedia.jp/articles/-/14658

15 バラの少年少女たちへ――台湾、同性婚法制化への道のり
Wedge ONLINE（旧WEDGE Infinity）,2019.5.18, https://wedge.ismedia.jp/articles/-/16244

16 日本人女優を起用した台湾のコンドーム広告に違和感を抱いた理由
nippon.com, 2018.2.3, https://www.nippon.com/ja/column/g00490/

17 有縁千里来相会（縁でむすばれ、千里を越えて）――台湾に嫁いだ日本人妻たちの百年
（上）,nippon.com, 2020.2.2, https://www.nippon.com/ja/japan-topics/g00802/
（下）,nippon.com, 2020.2.29, https://www.nippon.com/ja/japan-topics/g00815/

日台文化比較……………………………………………………………

18 「ショーロンポー」は台湾料理？――多文化の融合から考える台湾の豊かな食
Wedge ONLINE（旧WEDGE Infinity）,2019.3.7, https://wedge.ismedia.jp/articles/-/15567

19 「山本頭」ってなに!?――台湾で独自の進化を遂げた「男らしさ」のイメージ
nippon.com, 2019.3.23, https://www.nippon.com/ja/japan-topics/g00666/

20 キョンシーから台湾妖怪まで――日本視点で読み解く台湾ホラー映画ブーム
nippon.com, 2017.10.08, https://www.nippon.com/ja/column/g00440/

21 日本人が命をかけて食べる魚「フグ」――日・中・台・港の食文化比較
nippon.com, 2017.12.16, https://www.nippon.com/ja/column/g00468/

歴史交錯 ……………………………………………………………

22 洗骨――日本と台湾と沖縄にある生と死の間の世界
nippon.com, 2018.8.5, https://www.nippon.com/ja/column/g00560/

23 台湾和牛のルーツ?――千年の牛、見島ウシを訪ねて
nippon.com, 2018.11.17, https://www.nippon.com/ja/column/g00608/

24 日本人のバナナ好き、ルーツは台湾にあり――歴史伝える門司港の「バナちゃん節」
nippon.com, 2019.8.4, https://www.nippon.com/ja/japan-topics/g00724/

映画・アート・本 ……………………………………………………

25 忘れたの? それとも、思い出すのが怖い?――台湾映画『返校』を観て考える、歴史への向き合い方
nippon.com, 2019.11.3, https://www.nippon.com/ja/japan-topics/g00770/

26 そうだ、台湾映画みよう――中国資本に侵食される台湾エンタメ界の苦境と希望
Wedge ONLINE(旧WEDGE Infinity),2018.3.20, https://wedge.ismedia.jp/articles/-/12276

27 台湾映画の魅力――台湾のうしろ頭をみる
「台湾巨匠傑作選2019 〜恋する台湾〜」パンフレット,オリオフィルムズ

28 金馬奨とはなにか――近年の金馬奨授賞式をとおして考えたこと
「ユリイカ」2021年8月号,青土社

29 80年の時を超え、台湾と日本を結ぶ一枚の絵
nippon.com, 2016.11.03, https://www.nippon.com/ja/column/g00386/

30 日本の民芸運動に影響を与えた台湾竹工芸
nippon.com, 2019.01.26, https://www.nippon.com/ja/japan-topics/g00637/

31 麗しき故郷、台湾――湾生画家・立石鐵臣を巡って
nippon.com, 2017.07.08, https://www.nippon.com/ja/column/g00421/

32 かつて最前線だった島の芸術祭、馬祖ビエンナーレ――トポフォビアからトポフィリアへ
Webマガジン「artscape」, 2022年4月15日号, フォーカス,https://artscape.jp/focus/10175878_1635.html, DNP大日本印刷

33 台湾の「肖像画」描く文学
書き下ろし

主な参考文献

- 前田均，台北県政府『阿美語図解実用字典』中の日本語からの借用語，天理大学学報，1996
- 川村竜之介・谷口綾子・大森宣暁・谷口守，「公共交通車内における協力行動と規範に関する国際比較」土木学会論文集D3（土木計画学），2015
- 赤松美和子『台湾文学と文学キャンプ――読者と作家のインタラクティブな創造空間』東方書店，2012
- 小笠原欣幸「台湾の民主化と憲法改正問題」http://www.tufs.ac.jp/ts/personal/ogasawara/paper/paper2.html
- 小笠原欣幸『台湾総統選挙』晃洋書房，2019
- 吉崎祥司・稲野一彦「相撲における「女人禁制」の伝統について」北海道教育大学学術レポート，2008
- 赤松美和子・若松大祐編著『台湾を知るための72章』（第2版）明石書店，2022
- 赤松美和子・若松大祐編著『台湾を知るための60章』明石書店，2016
- 大岡響子「「台湾料理」は何料理？」https://www.nippon.com/ja/column/g00515/
- ハリー・チェン著，中村加代子訳『台湾レトロ氷菓店』グラフィック社，2019
- 鼎泰豊 https://www.dintaifung.com.tw/about.php
- 小野高尚『夏山雑談』国立国会図書館デジタルコレクション
- 島尾ミホ『海辺の生と死』中公文庫，2013
- 『岩波女性学事典』岩波書店，2002
- 国分直一「日本及びわが南島における葬制上の諸問題」民族学研究，1963
- 国分直一『環シナ海民族文化考』慶友社，1976
- 大本敬久「愛媛の伝承文化」https://blog.goo.ne.jp/uchikonotemae
- 黒川創編『南方・南洋／台湾』新宿書房，1996
- 筒井功『葬儀の民俗学』河出書房新社，2010
- 胎中千鶴『葬儀の植民地社会史－帝国日本と台湾の〈近代〉』風響社，2008
- 平敷令治『沖縄の祖先祭祀』第一書房，1995
- 蔡文高『洗骨改葬の比較民俗学的研究』岩田書院，2004
- 李登輝・王燕軍・中村佐都志・長嶺慶隆「SNPマーカーを用いた台湾牛種と黒毛和種および欧米種との遺伝的関係の解析」李登輝基金会肉牛BLUP研究中心，2018，日畜会報89
- 石井里津子『千年の田んぼ』旬報社，2017
- 中山清次『牛道を歩みて～和牛経営調査紀行』マツノ書店，1978
- 邱函妮『灣生・風土・立石鐵臣』雄獅美術，2004
- 『立石鐵臣展――麗しき故郷『台湾』に捧ぐ』府中市立美術館，2016
- ほしよりこ『きょうの猫村さん』マガジンハウス，2005～
- 呉密察・原著監修／編著・遠流台湾館／編訳・横澤泰夫『台湾史小事典』中国書店，増補改訂版，2010
- 鈴木賢『台湾同性婚法の誕生――アジアLGBTQ＋燈台への歴程』日本評論社，2022
- 河崎眞澄『李登輝秘録』産経新聞出版，2020

著者プロフィール

栖来ひかり（すみき・ひかり）

文筆家・道草者。1976年生まれ、山口県出身。京都市立芸術大学美術学部卒、2006年より台湾在住。台湾に暮らす日々、旅のごとく新鮮なまなざしを持って、失われていく風景や忘れられた記憶を見つめ、掘り起こし、重層的な台湾の魅力をつたえる。
著書に『在台灣尋找Y字路／台湾、Y字路さがし。』（玉山社、2017年）、『山口、西京都的古城之美：走入日本與台灣交錯的時空之旅』（幸福文化、2018年）、『台湾と山口をつなぐ旅』（西日本出版社、2018年）、『時をかける台湾Y字路―記憶のワンダーランドへようこそ』（図書出版へウレーカ、2019年）、『台日萬華鏡』（玉山社、2022年）。挿絵やイラストも手掛ける。

日台万華鏡　台湾と日本のあいだで考えた

2023年5月11日　第1刷発行
2023年9月15日　第2刷発行

著者　栖来ひかり
発行者　池田雪
発行所　株式会社 書肆侃侃房（しょしかんかんぼう）
〒810-0041 福岡市中央区大名2-8-18-501
TEL：092-735-2802　FAX：092-735-2792
http://www.kankanbou.com　info@kankanbou.com
編集　池田雪
装丁・装画　川原樹芳（100KG）・大柴千尋（100KG）
本文イラスト　栖来ひかり
DTP　黒木留実
印刷・製本　シナノ書籍印刷株式会社

ISBN978-4-86385-572-4 C0095